编者的话

“欲修大道者，应先修良知良能。”良知良能是指人天赋的道德观念，良知良能即是良心。王阳明说：“见父自然知孝，见兄自然知弟，见孺子入井自然知恻隐，此便是良知。”我们的传统文化中就包含着这些哲理，通过学习传统文化，建立起自己内在的规范、独特的思想、行动的准则，能在自觉自信下做一个堂堂正正的人。

青少年阶段正是世界观、人生观和价值观初步形成的时期，正确的引导显得尤为重要。这个阶段的孩子求知欲强、记忆力好。这个时候，应该让他们把前人的一些经典作品记忆下来，做到烂熟于心，让他们在今后的人生道路上做到“厚积薄发”“融会贯通”。这种从记忆，经体验，再到理解、内化的教育模式，是简单、科学、高效的，也是我们应该继承和发扬的。

根据孩子这样的成长、认知特点，我们编辑出版了这套“书声琅琅”国学诵读系列图书。该套书主要的栏目有：诵原文、读注释、看译文、品故事、学知识。以原文大字注音，清朗简洁的排版方式，重点引导孩子诵背原文；合理地编选一些故事，再配上具有连环画风格的插图，让孩子能更好地理解原文。通过诵读和理解，让他们明白更多的做人做事道理，健全完善他们的人格。所有栏目的设置，秉持一个基本的原则：让孩子喜欢、爱读，让家长便于解说、引导。

这套书共8册，主要有传统的“蒙学”经典《三字经》《千字文》《百家姓》《弟子规》，儒家经典选编《论语》《大学·中庸》，还有流传甚广的《增广贤文》（选编）《声律启蒙·笠翁对韵》，都是能够让孩子朗朗上口的诵背读物。

有人说，孩子是一张白纸，在上面能够画出最美的图画。在互联网、移动互联网不断改变人们生活节奏的今天，让孩子从这些基础“国学”图书中汲取营养，让他们“亲近国学，健康成长”吧！

编 者

目录

总 序

诚挚好学篇

修身立志篇

人情家庭篇

成长交友篇

为人处世篇

社会事理篇

人生哲理篇

自然道理篇

结　语

总序

xī shí xián wén huì rǔ zhūn zhūn
昔时贤文，诲汝谆谆，
jí yùn zēng guǎng duō jiàn duō wén
集韵增广，多见多闻。
guān jīn yí jiàn gǔ wú gǔ bù chéng jīn
观今宜鉴古，无古不成今。

注释

昔时：过去。　文：言论。　诲：教育、教诲。
宜：最好。　鉴：借鉴。

译文

过去圣贤们的言论，能给你谆谆教诲。我把它收集起来，编成压韵的《增广》，增加你的见闻。

观察今天的行为最好借鉴古人的教训，没有过去就没有今天。

学知识

以古为鉴

【释义】以历史上的成败得失作为借鉴。

【出自】《新唐书·魏徵传》："以古为鉴，可知兴替。"

【故事】公元643年，直言敢谏的魏徵病死了，唐太宗流着眼泪说："用铜当镜子，可以知道衣帽是不是端正；用历史当镜子，可以知道国家兴亡的原因；用人当镜子，可以发现自己的对错。魏徵一死，我就少了一面镜子啊！"

诚挚好学篇

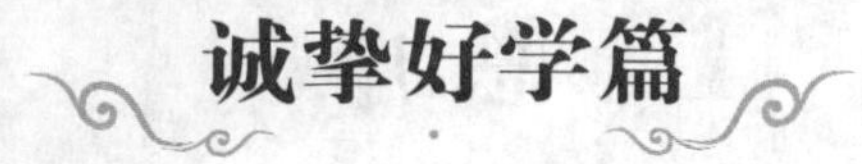

shào zhuàng bù nǔ lì
少壮不努力，
lǎo dà tú shāng bēi
老大徒伤悲。

读 注释

少壮：年纪小的时候。 老大：年纪大了。 徒：徒然，枉然。

看 译文

年纪小的时候不努力学习上进，等到年纪大了，就只能枉自悲伤了。

yīng huā yóu pà chūn guāng lǎo
莺花犹怕春光老，
qǐ kě jiào rén wǎng dù chūn
岂可教人枉度春。

读 注释

犹怕：最害怕。 老：流逝，过去。 岂：怎么。
枉：白白地。 春：指大好的时光。

看 译文

黄莺和鲜花都害怕春光早早地流逝，人生短促，我们怎么能让大好的时光白白度过呢？

sān sī ér xíng zài sī kě yǐ

三思而行，再思可矣。

注释

三思：三次思考，意思是多次考虑。　行：行动。

再思：两次思考。

译文

遇事经过三次思考再行动，其实未必，只要两次就可以了。

jiàn zhě yì xué zhě nán

见者易，学者难。

注释

见：看着。　学：学着做。

译文

在旁边看人家做事觉得很容易，等到自己学着做就觉得难了。

学知识

《论语》

《论语》是孔子弟子及其再传弟子记载的有关孔子的言行，共二十篇，是儒家最重要的一部经典著作。

《论语》的内容有孔子谈话、答弟子问及弟子间的相互讨论，是研究孔子思想的主要依据。

南宋时，朱熹把它和《大学》《中庸》《孟子》合称为“四书”，成为儒家的重要经典。

yì nián zhī jì zài yú chūn
一年之计在于春，
yí rì zhī jì zài yú yín
一日之计在于寅。
yì jiā zhī jì zài yú hé
一家之计在于和，
yì shēng zhī jì zài yú qín
一生之计在于勤。

读 注释

计：计划、重点，指最好的，最重要的。
寅：寅时，古代十二时辰之一，即早晨三时至五时。
和：和睦。

看 译文

一年最好的时光在春天，一天最好的时光在早晨。一个家最重要的在于和睦，一辈子最重要的在于勤奋的精神。

hēi fà bù zhī qín xué zǎo
黑发不知勤学早，
zhuǎn yǎn biàn shì bái tóu wēng
转眼便是白头翁。

读 注释

黑发：代指年轻时。 白头翁：指白发人、老年人。

看 译文

年轻时不知道勤学惜时，一转眼就成了白发苍苍的老人。

故事

闻鸡起舞

晋朝的时候，有两个年轻人，一个叫祖逖，一个叫刘琨。他们两人志同道合，相互鼓励，立志将来要成为国家的栋梁之材。

有一天半夜，祖逖在睡梦中听到公鸡的打鸣声，便将刘琨叫醒，说：“别人都认为半夜听到鸡叫不吉利，我可不这么想，咱们干脆以后听见鸡叫就起床练剑如何？”刘琨欣然同意。自此，他们每天听到鸡叫后就起床练剑。寒来暑往，春去冬来，坚持不懈，最终成为了文武双全的人才。后来，祖逖组建军队，抵抗北方匈奴的攻击，建立了功业，被封为镇西大将军，刘琨被封为征北中郎将。他们充分发挥了自己的文才武略。

这就是成语“闻鸡起舞”的由来。

dú shū xū yòng yì
读书须用意，
yí zì zhí qiān jīn
一字值千金。

读 注释

用意：用心思。
值千金：很贵重，要斟酌的意思。

看 译文

读书必须用尽全部的心思，每个字都要小心斟酌才行。

kū mù féng chūn yóu zài fā
枯木逢春犹再发，
rén wú liǎng dù zài shào nián
人无两度再少年。

读 注释

逢：遇到，等到。　　犹：还会。
发：发芽。　　两度：两次。

看 译文

枯木等到春天还会再次发芽，但人却没有办法再次拥有少年时光。

guāng yīn sì jiàn rì yuè rú suō

光阴似箭，日月如梭。

注释

光阴、日月：指时间。　　梭：古代织布机上的梭子。

译文

光阴快得像射出的箭，日月走得像织布机上的梭子一样快。

rén shēng tiān dì zhī jiān ruò bái

人生天地之间，若白

jū zhī guò xì hū rán ér yǐ

驹之过隙，忽然而已。

注释

白驹：白马。　　过隙：穿过缝隙。　　忽然：比喻很快。

译文

人的一生，生活在天地之间，仿佛白马穿过缝隙，忽然一下子就过了。

学知识

古代年龄的称谓

垂髫：三四岁到八九岁。　　总角：八九岁到十三四岁。

豆蔻：十三四岁到十五六岁。　　弱冠：20 岁。

而立：30 岁。　不惑：40 岁。　知天命：50 岁。　花甲：60 岁。

古稀：70 岁。　耄耋：80、90 岁。　期颐：100 岁。

rén bù tōng jīn gǔ
人不通今古，
mǎ niú rú jīn jū
马牛如襟裾。

注释

通：知道，明白。　　襟裾：衣服。

译文

人如果不读书，不懂知识，与牛马穿上衣服没什么两样。

hào xué zhě rú hé rú dào
好学者如禾如稻，
bú hào xué zhě rú hāo rú cǎo
不好学者如蒿如草。

注释

禾：谷子。　　稻：稻子。
蒿：杂草。

译文

爱学习的人，就像谷子、稻子一样有用；不爱学习的人，就像蒿草一样只能当作柴烧。

故事

窦德玄诚恳好学

有一次，唐高宗来到濮阳，窦德玄和其他大臣骑马跟随在后。

高宗问："濮阳又叫帝丘，为什么呢？"窦德玄诚实地说不知道。另一个大臣许敬宗从后面策马上来，回答说："从前古帝王颛顼在这里住过，所以叫帝丘。"高宗称赞答得好。

许敬宗退下后对别人说："大臣怎么可以没有学问？窦德玄回答不出，我实在为他害臊。"

后来，许敬宗的话传到了窦德玄耳里。他的下属说："许敬宗这个人不知天高地厚，应该教训他一番！"

窦德玄摆摆手，说："许敬宗说得对，我有很多不知道的事，其实，我更应该向他学习，否则身为一个臣子，一问三不知，怎样辅佐皇上呢？"

许敬宗知道后，也不得不佩服起窦德玄的诚恳好学。

xián shí bù shāo xiāng
闲时不烧香，
jí shí bào fó jiǎo
急时抱佛脚。

读 注释

抱佛脚：拜佛。

看 译文

平时从来不给佛烧香，等到急用时才去拜佛。

tā rén guān huā bú shè nǐ mù
他人观花，不涉你目；
tā rén lù lù bú shè nǐ zú
他人碌碌，不涉你足。

读 注释

不涉：没有，不牵涉。　　碌碌：忙碌。

看 译文

别人赏花赞美，你就当作没看见；别人忙忙碌碌，你不要插足去管。

mò jiāng róng yì dé
莫将容易得，
biàn zuò děng xián kàn
便作等闲看。

注释

便：随便。　等闲：平常的。　看：看待。

译文

不要把容易得来的东西，看成稀松平常之物。

yǒu tián bù gēng cāng lǐn xū
有田不耕仓廪虚，
yǒu shū bù dú zǐ sūn yú
有书不读子孙愚。
cāng lǐn xū xī suì yuè fá
仓廪虚兮岁月乏，
zǐ sūn yú xī lǐ yì shū
子孙愚兮礼义疏。

注释

仓廪：米仓。　虚：空虚。　愚：愚蠢。
乏：困乏，困难。　疏：不懂，疏浅。

译文

有田不耕，米仓就会空虚；有书不读，子孙就会愚蠢。米仓里空虚了，日子就会困难；子孙愚蠢了，就不懂得礼义了。

jī jīn qiān liǎng， bù rú míng jiě jīng shū。

积金千两，不如明解经书。

注释

积：积攒。　明：明白。　解：理解，通晓。

译文

积攒了黄金千两，还不如通晓四书五经。

lù bù chǎn bù píng，

路不铲不平，

shì bù wéi bù chéng，

事不为不成，

rén bú quàn bú shàn，

人不劝不善，

zhōng bù qiāo bù míng。

钟不敲不鸣。

注释

平：平整。　成：办成。　善：行善。

译文

路不去铲不能平整，事不去做不能办成，人不去劝诫就不会行善，钟不敲就不会响。

měi jiǔ niàng chéng yuán hào kè
美酒酿成缘好客，
huáng jīn sàn jìn wèi shōu shū
黄金散尽为收书。

注释

缘：因为。　　收：收藏。

译文

酿造出美酒是因为主人好客，把黄金散尽是因为爱书人喜欢收藏好书。

shū zhōng zì yǒu qiān zhōng sù
书中自有千钟粟，
shū zhōng zì yǒu huáng jīn wū
书中自有黄金屋，
shū zhōng chē mǎ duō rú cù
书中车马多如簇，
shū zhōng zì yǒu yán rú yù
书中自有颜如玉。

注释

千钟粟：粮食满仓，指高官厚禄。　　颜如玉：指女子冰清玉洁。

译文

书里自然有高官厚禄，书里自然有家财万贯，书里的车马多得数不清，书里自然有美女如玉。

shì shàng wàn bān jiē xià pǐn
世上万般皆下品，
sī liáng wéi yǒu dú shū gāo
思量唯有读书高。

注释

万般：一切，全都。

下品：次要的，等而下之。

思量：想一想。

高：高等。

译文

世界上的一切都是等而下之的，想一想只有读书才是最高等的。

tóng jūn yì xí huà
同君一席话，
shèng dú shí nián shū
胜读十年书。

注释

一席话：一番谈话。

译文

同你进行了一番谈话，胜过我读了十年书，真是受益匪浅。

故事

丰子恺的失误

丰子恺是我国现代有名的画家，是一位卓有成就的艺术大师。可有一回，他却犯了一个低级错误。

一次，丰子恺作了一幅《牵羊》的画，画上一个人牵着两头羊，用了两根绳子，每根绳子牵一只羊，牵羊人在前面悠闲地走着。

一位老先生看了后说："这幅画画得不真实，其实用一根就够了，牵了一只，其余的都会跟来。"

丰子恺半信半疑，于是找到两只羊，试着牵了一只，看另一只会不会跟上来，结果果然如此。后来，他又留心观察，发现赶鸭子也是如此。数百只鸭子在河里，只要赶鸭子的人往岸上赶上一两只，其余的都会追随而来，没有一只离群掉队的。

丰子恺感叹地说："听君一席话，胜读十年书啊！"

dào wú hǎo zhě shì wú zéi
道吾好者是吾贼，
dào wú è zhě shì wú shī
道吾恶者是吾师。

注释

道：说。　　贼：别有用心的人。

译文

说我好的人是别有用心的人，说我不好的人才是我的老师。

sān rén xíng bì yǒu wǒ shī yān
三人行，必有我师焉。
zé qí shàn zhě ér cóng zhī
择其善者而从之，
qí bú shàn zhě ér gǎi zhī
其不善者而改之。

注释

行：同行。　　焉：在那里。
从：学习。　　改：改正。

译文

三个人同行，其中一定有可以当我老师的人。选择他们的优点去学习，了解他们的缺点就反思自己，并加以改正。

故事

沈从文的故事

沈从文是我国现代著名的作家，小时候他特别喜欢看木偶戏，常常因为看戏而耽误了学习。

有一次上课，沈从文从课堂里溜了出来，跑到村子里去看木偶戏，那天演的是《孙悟空过火焰山》。沈从文看得眉飞色舞，捧腹大笑，一直到傍晚才恋恋不舍地回到学校，而这时大家都放学了。

第二天，沈从文刚进教室，老师就严厉地责问他为什么旷课，然后罚他在一棵树下站着，并教育他说："你看，连这棵树都能天天往上长，而你却偏偏不思上进。当大家都在用功读书时，你却偷偷溜去看戏，要知道，今天不努力读书，将来是不会有出息的。"听了老师的训话，沈从文暗暗发誓，一定要记住这次教训。

后来，沈从文发奋读书，严格要求自己，长大后成了著名的作家。

yì jǔ shǒu dēng lóng hǔ bǎng
一举首登龙虎榜，
shí nián shēn dào fèng huáng chí
十年身到凤凰池。

读 注释

一举：一次，一下子。　　龙虎榜：科举考试公布中举者的榜。
凤凰池：指皇宫。

看 译文

一下子考中登上了皇榜，苦读十年，终于获得了大展宏图的机会。

shí nián hán chuāng wú rén wèn
十年寒窗无人问，
yì jǔ chéng míng tiān xià zhī
一举成名天下知。

读 注释

寒窗：比喻艰苦。

看 译文

在寒窗内苦读十年，无人知晓，一下子成了名，天下人都知道了。

品 故事

陈子昂摔琴

唐代初期，有个杰出的诗人叫陈子昂。他年轻时，离开四川老家到京都洛阳去求官。虽然他才华出众，诗文写得很好，却没有人赏识。

一天，徘徊在街头的陈子昂看到一位老者在卖桐琴，价格不菲，要三千钱，于是，他拿出五千钱买下了琴，并对周围的人说："我叫陈子昂，明天早上，我在我的寓所宣德馆为大家演奏此琴，请诸位莅临指导。"

第二天一早，来宣德馆听琴的人很多。陈子昂取出桐琴，猛地往地上一摔，桐琴顿时被摔得粉碎。正当人们惊讶万分的时候，陈子昂高声说道："我陈子昂从小饱读诗书，熟知经史，不想来到京都无人赏识，今日我不过是以弹琴为由，想请各位来欣赏我的诗文而已！"

说完，陈子昂从箱中取出一大叠诗文稿分给大家，大家读后都赞赏万分。从此，陈子昂的名字便传遍了洛阳城。

yí zì wéi shī zhōng shēn rú fù

一字为师，终身如父。

注释

一字：一个字。　终身：一辈子。

译文

哪怕是教过我一个字的老师，也要一辈子像父亲一样尊重。

shì zhě guó zhī bǎo

士者国之宝，

rú wéi xí shàng zhēn

儒为席上珍。

注释

士：指读书人。

儒：儒家学者，懂得礼义的人。

译文

读书人是国家的宝贝，懂得礼义的人就像是酒席上的珍品。

学知识

古代对教师的尊称

师、师父、师傅：历代对教师的尊称。

师资：先秦以后历代对教师的别称。

西席、西宾、讲席：汉代对教师的称谓。

经师：汉代以后历代对传授经济教师的称谓。

老师：宋元时期对小学教师的称谓。

先生：古代对“门馆”“私塾”老师中年长者的尊称。

故事

李相的“一字师”

唐代有个大官叫李相。有一天，他在自家的庭院朗读《春秋》，发现在旁伺候的一个小吏露出奇异的神色。李相感到奇怪，便问他：“你常读《春秋》吗？”

他说：“是的。”

“那为什么听我读到这里，你就这副表情？”

小吏道：“因为老师教我的时候，我读错了这个‘婼’字，今天听老爷念‘婼’为‘吹’，才知道是我错了。”

李相说：“不对，我没有请教过老师，只是自己查看《经典释文》之类的工具书罢了。读错这个字的一定是我，不是你。”于是，就拿这本书给小吏看。小吏看后，委婉曲折地解释了一番，李相听了十分惭愧，就请小吏面南坐下，自己向他行拜师礼，于是，后人称小吏为李相的“一字师”。

修身立志篇

jūn zǐ ān pín, dá rén zhī mìng
君子安贫，达人知命。

注释

君子：有德行的人。　安：安守。　贫：贫困。
达人：通情达理的人。　命：天命。

译文

有德行的人能够安于贫困，而通情达理的人则知晓天命。

jūn zǐ ài cái, qǔ zhī yǒu dào
君子爱财，取之有道。

注释

君子：有德行的人。　道：正当的途径。

译文

有德行的人喜欢财富，但要用正当的手段去求取。

学知识

中国古代的货币

中国出现最早的货币是海贝，主要流通于商代。到了春秋战国时期，各地区形成了不同的货币，主要有布币、刀币和环钱。

秦始皇统一六国后，废除了各国的货币，将方孔半两钱作为法定货币。至此，中国古货币的形态固定下来了，一直沿用到清末。

zhī zú cháng zú zhōng shēn bù rǔ
知足常足，终身不辱；
zhī zhǐ cháng zhǐ zhōng shēn bù chǐ
知止常止，终身不耻。

注释

足：满足。

终身：一辈子。

辱：受辱。

止：分寸，节制。

耻：遭受耻辱。

译文

知道满足的人能常常感到满足，一辈子都不会（因为金钱）受辱；知道节制的人能常常节制自己，一辈子都不会（因为欲望）遭受耻辱。

nìng kě zhèng ér bù zú
宁可正而不足，
bù kě xié ér yǒu yú
不可邪而有余。

注释

正：正直。

不足：生活不宽裕的意思。

邪：邪门歪道。

余：赢余。

译文

做人宁可坚守正直而生活不宽裕，也不能去走歪门邪道获取赢余。

jūn zǐ gù qióng, xiǎo rén qióng sī làn yǐ

君子固穷，小人穷斯滥矣。

注释

固：固守，安宁。

穷：穷困。

斯：就。

滥：泛滥，指胡作非为。

译文

君子能够安守穷困，小人遭受穷困就会胡作非为。

liáng tián wàn qǐng, rì shí yì shēng

良田万顷，日食一升。

dà shà qiān jiān, yè mián bā chǐ

大厦千间，夜眠八尺。

注释

顷：面积单位，一顷等于一百亩。

升：体积单位。

尺：长度单位，三尺等于一米。

译文

家有万顷良田，每天能吃的也不过一升。就算有千间大厦，而睡觉的地方也不过八尺。

故事

晏婴住陋室

春秋时期，齐国有个名叫晏婴的宰相，他虽然权重位显，但为政清廉，力倡节俭，从来不谋私利。

他出任宰相后，仍住在原来那所低矮、潮湿、狭小，并且靠近闹市、十分嘈杂的房子里。

齐景公见晏婴的住宅与其他王公诸侯的相比，实在太寒酸了，于是便多次提出为他换一座宽敞、豪华、幽静的住房。

而晏婴却一再推辞，坚持不要。齐景公大惑不解，问："换一座豪宅不好吗？在那里能够舒适地办公，也能休息得好。"

晏婴回答说："我住的这所房子，祖先们都一直住着，我已经觉得不错了，如果再让我住更好的房子，那就太过分了。"

齐景公听后敬佩万分，从此更加重用晏婴了。

rén ér wú xìn bù zhī qí kě yě

人而无信，不知其可也。

读 注释

信：信用。 其：他。

可：可以，指在世上立足。

看 译文

一个人不讲信用，真不知道他怎么能在世上立足。

yì yán jì chū sì mǎ nán zhuī

一言既出，驷马难追。

读 注释

驷马：四匹马拉的车。 难追：追不上。

看 译文

一句话说出了口，就是套上四匹马拉的车也追不上。

学知识

天子驾六

古代的交通工具主要是马车，它几乎与人类的文明一样漫长。

马车的拥有者一般都比较富有，驾驶马车也有一定的规矩，这在中国古代是有礼制的。

皇帝级别的要用六匹马拉的车，历史上称为“天子驾六”，其余跟随的副车都是四匹马拉的车，称为“驾四”。

而成语“一言既出，驷马难追”中的“驷马”，指的是四匹马拉的马车。

故事

商鞅取信于民

公元前356年，秦孝公任用商鞅，实行变法，但商鞅担心老百姓不按新法去做。

为了取信于民，他就在咸阳南门外立起一根木柱子，命官吏看守，并且下令：谁将它搬到了北门，就赏黄金十镒。当时围观的人很多，但大家一是不明白此举的意图，二是不相信有这等好事，所以没人去搬。

商鞅心想：百姓没有肯搬的，可能是嫌赏钱太少。

于是，他又下令，把赏钱增加到五十镒。重赏之下，必有勇夫，没出三天，就有一个不信邪的壮汉，把那木柱扛到了北门。

商鞅立即召见那个搬木柱的人，赏给了他五十镒黄金。这个消息不胫而走，举国轰动，大家都说商鞅言而有信。

第二天，商鞅即公布变法令，新法在秦国顺利地实行了。

qián cái rú fèn tǔ
钱财如粪土，
rén yì zhí qiān jīn
仁义值千金。

注释

仁：仁爱、仁德。　　义：正义。

译文

钱财像粪土一样（不重要），仁爱和正义才价值千金。

huáng jīn wèi wéi guì
黄金未为贵，
ān lè zhí qián duō
安乐值钱多。

注释

未：没有。　　安乐：安宁快乐。

译文

黄金没有什么可贵的，安宁快乐的生活才最值钱。

故事

商人重财

明朝时，济阴地区有个商人渡河时翻了船，在河中大声哭叫。有个渔夫划了船去救他。还没到跟前，商人就急着喊："我是个富家子弟，如果你能救我，我就酬谢你一百两黄金。"

渔夫救他上了岸，他却只给了十两黄金。渔夫说："你原先答应给百金，而现在只给十金，恐怕不行吧？"

商人发怒变脸，说："你是个打鱼的，一天能收入几个钱？现在，你突然得到十金，还不满足吗？"渔夫默不作声，没精打采地走了。

过了些日子，这个商人乘船到下游去，结果船撞着大石，又翻了。恰巧，这次又被那个渔夫碰见了，然而这次渔夫却没再救他，结果商人被淹死了。

后来，有人问渔夫："为什么不去救他呢？"渔夫回答说："这个家伙不守信用，上次救他，他答应给我的钱却赖账了，这次我才不救他呢！"

nìng kě rén fù wǒ
宁可人负我，
qiè mò wǒ fù rén
切莫我负人。

读 注释

负：对不起。　　切：一定。　　莫：不要。

看 译文

宁可别人对不起自己，也一定不要让自己对不起别人。

nìng xiàng zhí zhōng qǔ
宁向直中取，
bú xiàng qǔ zhōng qiú
不向曲中求。

读 注释

宁：宁可。　　直：正直直接。
曲：委曲迁就。　　求：求得，求全。

看 译文

宁可正直直接地索取，也不可委曲迁就地求得。

品 故事

姜太公钓鱼

姜太公在没有得到周文王重用的时候，隐居在陕西渭水边的一个地方。那个时候，他经常在溪边垂钓。

奇怪的是，姜太公的钓钩是直的，上面不挂鱼饵，也不沉到水里，并且离水面三尺高。他一边高高举起钓竿，一边说："姜尚钓鱼，愿者上钩！"

一天，有个打柴的看见了，他说："老先生，像你这样钓鱼，一百年也钓不到一条！"

姜太公说："我不是为了钓到鱼，而是为了钓到王与侯！"

后来，周文王得知了姜太公奇特的钓鱼方法，便来到溪边，问道："老先生，你为什么这样钓鱼呢？"

姜太公回答："我这叫宁向直中取，不向曲中求。"周文王一听，便知道姜太公是个很有能耐的人，于是，诚心诚意聘请姜太公来辅佐他。

后来，姜太公帮助周文王和周武王灭掉商朝，建立了周朝。

rén yǒu shàn yuàn tiān bì yòu zhī
人有善愿，天必佑之。

读 注释

愿：愿望。　　必：必定。

佑：保佑。　　之：代指有善愿的人。

看 译文

人只要有善良的愿望，连老天都会保佑他的。

zhòng má dé má zhòng dòu dé dòu
种麻得麻，种豆得豆。

tiān wǎng huī huī shū ér bú lòu
天网恢恢，疏而不漏。

读 注释

天网：天道。　　恢恢：广大的样子。

疏：稀疏。　　漏：遗漏。

看 译文

种黄麻得黄麻，种豆子得豆子，下什么功夫得什么果。天道广大，作恶就要受惩，虽然看起来稀疏，但却从来不会遗漏。

学知识

什么叫“五谷”

“五谷”是古代所指的五种谷物，历史上有多种不同说法，最主要的有两种：一种指稻、黍、稷、麦、菽。一种指麻、黍、稷、麦、菽。两者的区别是：前者有稻无麻，后者有麻无稻。

故事

孟尝君避难

春秋时期，冯谖曾在孟尝君手下做食客。起初，他并无半点功劳可居，却接二连三地舞剑唱歌，说吃饭没有点，出门没有车，嫌孟尝君对他招待不周。

冯谖第一次为孟尝君办事就自作主张，胆大包天地把孟尝君的债券付之一炬，并当着老百姓的面，说这是孟尝君对百姓的仁爱，所有欠他的钱都不必还了！

孟尝君虽然一时不能理解，心中不大高兴，但还是礼数周到地对冯谖说："唉，先生的行为我实在不能理解！"

后来，孟尝君出使他国，路上遭到刺杀，便躲在一个百姓家中避难，而那个百姓恰巧是冯谖自作主张，免去债务的百姓之一，所以他没有被告发。

孟尝君被救回国后，对冯谖感叹道："现在，我终于明白先生为何要把债券付之一炬了！"

zài sān xū shèn yì
再三须慎意，
dì yī mò qī xīn
第一莫欺心。

读 注释

再三：多次。　　须：必须。　　慎意：重视。

看 译文

再三需要重视的是，首先不要欺骗自己的内心。

rén xīn sì tiě　guān fǎ rú lú
人心似铁，官法如炉。
shàn huà bù zú　è huà yǒu yú
善化不足，恶化有余。

读 注释

铁：铁石。　　化：熔化。

看 译文

人心就像铁石，法律就像熔炉。积善不够或积恶有余的人都要被熔化掉。

dàn xíng hǎo shì mò wèn qián chéng
但行好事，莫问前程。

注释

好事：善事。 莫：不要。 问：追求。

译文

只管多行善事、好事，不要刻意去追求个人的前途，善有善报。

lù wài yǒu jī rén
路外有饥人，
jiā zhōng yǒu shèng fàn
家中有剩饭；
jī dé yǔ ér sūn
积德与儿孙，
yào guǎng xíng fāng biàn
要广行方便。

注释

饥人：挨饿的人或乞丐。 积：积累。
德：阴德。 广：推广。
方便：自利利他的事。

译文

马路边有挨饿的人，家中若有剩饭就送去。这样能够为儿孙们积阴德，而且是件利己利人的事。

miè què xīn tóu huǒ

灭却心头火，

tī qǐ fó qián dēng

剔起佛前灯。

读 注释

灭却：熄灭掉。 火：怒火。 剔：点亮。

看 译文

把心中的怒火熄灭掉，点亮修佛的佛灯。

jiàn shàn rú bù jí

见善如不及，

jiàn è rú tàn tāng

见恶如探汤。

读 注释

如：好像。 不及：赶不上。 探：伸进。 汤：沸水。

看 译文

看到善良的事物，努力追求，就好像赶不上似的；遇见邪恶的事物，努力避开，就好像将手伸到沸水里一样。

学知识

有趣的汉字“汤”

汤在古代有三种用法：第一种，也就是最常用的意思是“热水、沸水”；第二种指的是煮东西的汁液；第三种是指一种姓氏：汤姓。

shàn è suí rén zuò
善恶随人作，
huò fú zì jǐ zhāo
祸福自己招。

读 注释

随：由……选。 招：招来。

看 译文

做善事和做恶事都是由人自己选择的，福和祸都是自己招来的。

jiù rén yí mìng shèng zào qī jí fú tú
救人一命，胜造七级浮屠。

读 注释

胜：胜过。 七级：七层。 浮屠：佛塔。

看 译文

救人一条命，胜过建造一座七层的佛塔。

学知识

什么是“浮屠”

中国的佛教是从印度传过来的，所以佛经的文献都是由梵语翻译而来，而“浮屠”是音译后的文字。

浮屠，又称浮图、休屠。在古代有两种说法，第一种指的是“佛陀”，第二种指的是“佛塔”。古人所说的浮屠一般是指第二种，即“佛塔”。

yì háo zhī è　quàn rén mò zuò
一毫之恶，劝人莫作。
yì háo zhī shàn　yǔ rén fāng biàn
一毫之善，与人方便。

注释

一毫：一点点。　与：给。

译文

一点点的坏事，也要劝别人不要做。一点点的好事，也能给他人带来方便。

shàn yǒu shàn bào　è yǒu è bào
善有善报，恶有恶报，
bú shì bú bào　rì zǐ bú dào
不是不报，日子不到。

注释

报：报应。

译文

干好事有好的结果，干坏事有坏的报应，不是不遭受报应，而是时间还不到。

故事

与人为善

古时候，有个寡妇叫刘氏。因为丈夫早死，所以刘氏只能独自抚养孩子。

白天她就在田里劳动，晚上便点着蜡烛在织布机上织布，日子倒也过得宽裕。邻里有贫困的人家，刘氏总是拿些粮食去接济他们，或者把自己的衣服送给邻居。

邻居们都说她太善良了，可她的儿子却不理解母亲。她就教育儿子说："对别人好是做人的本分，谁没有点烦恼的事呢？如果大家都不做善事，那么人们就会变得自私狭隘，最终害了自己。"

几年后，刘氏去世了。在她死后第三年，家里着火，衣服、房屋都被烧毁了。这时，邻居们都主动给刘家送来衣物、食物，并为刘家砍树重建了一所房子。

到这时，刘氏的儿子才明白母亲为什么要做善事。

ruò dēng gāo bì zì bēi

若登高必自卑，

ruò shè yuǎn bì zì ěr

若涉远必自迩。

注释

若：如果。 自：从。 卑：卑低。

涉远：去往远方。 迩：近。

译文

如果想要攀登高处，必须先要从卑低处出发；如果想要去往远方，必须先从近处起程。

dé chǒng sī rǔ

得宠思辱，

jū ān sī wēi

居安思危。

niàn niàn yǒu rú lín dí rì

念念有如临敌日，

xīn xīn cháng sì guò qiáo shí

心心常似过桥时。

注释

宠：宠信。 辱：受辱。 安：和平安乐。

危：危险。 念念：慎思多想。 心心：小心考虑。

译文

得到宠信时，要想到有一天可能遭受屈辱；在和平安乐时，要考虑到可能发生危险。谨慎多思，就好像面临大敌的时候；小心考虑，就好像涉水过桥的时候。

故事

陈胜富贵忘友

陈胜当年起兵造反的时候，曾对身边的战友说："苟富贵，无相忘。"

后来，陈胜做了楚王，他过去的朋友们纷纷前往投靠。陈胜妻子的父亲也去了，但陈胜只是拱手高举行见面礼，并不下拜。

陈胜的岳父因此生气地说："依仗着叛乱，超越本分自封帝王的称号，且对长辈傲慢无礼，不能长久！"即不辞而去。陈胜急忙跪下道歉，可是老人却不予理会。不久，陈胜昔日的朋友都自动离去，从此，再也没有亲近他的人了。

后来，他的车夫庄贾也背叛了他，把他刺杀后投降了秦军。

bǎi nián chéng zhī bù zú
百年成之不足，
yí dàn bài zhī yǒu yú
一旦败之有余。

注释

百年：比喻多年。 成：成功。 不足：还未。
一旦：一天。 有余：彻底，绰绰有余。

译文

经过多年努力还没能够成功，不用一天就被彻底败光了。

qīng qīng zhī shuǐ wéi tǔ suǒ fáng
清清之水为土所防，
jǐ jǐ zhī shì wéi jiǔ suǒ shāng
济济之士为酒所伤。

注释

防：阻挡，拦住。 济济：优秀的。
伤：伤害。

译文

清清的溪水总是被土石拦住；优秀的人士总是被酒色所伤害。

chángjiāng yǒu rì sī wú rì
常将有日思无日，
mò bǎ wú shí dāng yǒu shí
莫把无时当有时。

读 注释

常：常常。 思：想到。

看 译文

在富裕的时候要想到贫困的日子，不要等到贫困时再沉迷于对富裕时的回忆。

rén è rén pà tiān bú pà
人恶人怕天不怕，
rén shàn rén qī tiān bù qī
人善人欺天不欺。
shàn è dào tóu zhōng yǒu bào
善恶到头终有报，
zhǐ zhēng lái zǎo yǔ lái chí
只争来早与来迟。

读 注释

到头：最后。 只：只是。 争：区别。

看 译文

人们对恶人都害怕，但天不会害怕；善良的人常常被人欺负，但天不会欺负。善或恶的行为到最后都会有报应，只是提前或推迟到来的区别而已。

jiàng xiàng dǐng tóu kān zǒu mǎ
将相顶头堪走马，
gōng hóu dù lǐ hǎo chēng chuán
公侯肚里好撑船。

注释

顶头：头顶。
堪：能够。
好：能够。

译文

大将、宰相的头顶上能够跑马，王公、贵侯的肚子里能够撑船，他们都大人大量。

ráo rén suàn rén zhī běn
饶人算人之本，
shū rén suàn rén zhī jī
输人算人之机。

注释

饶：饶恕、放过。
算：算是。
本：根本。
输：输给。
机：心机。

译文

饶恕别人算是做人的根本，输给别人算是智谋、心机。

故事

鲍叔牙荐管仲

春秋时期，齐国发生了内乱，国君被杀。公子小白在鲍叔牙的护送下，返回齐国，当了国君，即齐桓公。

齐桓公在回国途中，曾遭到管仲的暗杀，但这次暗杀没有得逞。后来，齐桓公发兵攻打鲁国，要求鲁国交出管仲，否则不退兵，鲁国只好答应了条件。

管仲被押到齐国时，鲍叔牙亲自到城门外迎接他，还把他推荐给齐桓公。齐桓公说："管仲差点要了我的命，我恨不能剥了他的皮，吃了他的肉，你还想叫我任用他？"

鲍叔牙说："那会儿他是敌人的人，自然要为敌人办事。但是论本领，他比我强得多。主公要是能够重用他，他肯定会助你取得天下。"

齐桓公接受了鲍叔牙的推荐，管仲果然不负重托，建功立业。后来，鲍叔牙反倒做了他的助手。

xī què léi tíng zhī nù
息却雷霆之怒，
bà què hǔ láng zhī wēi
罢却虎狼之威。

注释

息却：彻底停息。　　雷霆：雷电般的，比喻大怒。
罢却：彻底放下。

译文

把雷电一样的愤怒彻底停止，把虎狼一样的威风彻底放下。

zé rén zhī xīn zé jǐ
责人之心责己，
shù jǐ zhī xīn shù rén
恕己之心恕人。

注释

责：责备。　　恕：原谅，宽恕。

译文

用责备别人的态度责备自己，用宽恕自己的态度宽恕别人。

yóu jiǎn rù shē yì
由俭入奢易，
yóu shē rù jiǎn nán
由奢入俭难。

注释

俭：节俭。　　奢：奢侈。

译文

从节俭到奢侈很容易，但要从奢侈再回到节俭就很难了。

qī rén shì huò　ráo rén shì fú
欺人是祸，饶人是福。
tiān yǎn huī huī　bào yìng shèn sù
天眼恢恢，报应甚速。

注释

欺：欺负、伤害。　　饶：饶恕。
天眼：天道。　　恢恢：宽广的样子。
甚：特别。　　速：快。

译文

伤害人会带来灾祸，饶恕人却能带来福气。天道宽广，报应来得非常快。

rén lǎo xīn wèi lǎo
人老心未老，
rén qióng zhì bù qióng
人穷志不穷。

注释

心：壮心。　　志：志气。

译文

人老了，但壮心不老；人很穷困，但志气不穷。

sǔn yīn luò tuò fāng chéng zhú
笋因落箨方成竹，
yú wèi bēn bō shǐ huà lóng
鱼为奔波始化龙。

注释

落：掉下，褪下。　　箨：皮。
为：因为。　　始：才。

译文

笋因为褪下一层层皮才成为竹子；鱼因为不断奔波才有化成龙的机会。

故事

鲜花和果实

从前，有个风华正茂的青年，他时常轻视饱经风霜的老人。

一天，父子二人一起去山上郊游。青年顺手摘下一朵鲜花，说道："父亲，年轻人就像这朵鲜花一样，散发着生命的活力。你们老年人，怎么能和青年人相比呢？"

父亲听罢，把手伸进兜里，从里面摸出一颗核桃，这颗核桃又大又饱满。他托在掌心里，说道："儿子，你比喻得不错。如果你是鲜花，我就是这风干了的果实。不过，事实告诉人们：鲜花，喜欢让生命显露在炫目的花瓣上；而果实，却把生命凝结在种子里！"

青年不服气地说："若是没有鲜花，哪儿来的果实呢？"

父亲哈哈大笑："是啊，所有的果实，都曾经是鲜花；然而，却不是所有的鲜花都能成为果实！"

shèng xián yán yǔ, shén qīn guǐ fú

圣贤言语，神钦鬼伏。

注释

钦：钦佩。 伏：同“服”，佩服，信服。

译文

圣人的话语，连鬼神都钦佩、服气。

liáng yào kǔ kǒu lì yú bìng,

良药苦口利于病，

zhōng yán nì ěr lì yú xíng

忠言逆耳利于行。

注释

逆耳：刺耳。 行：行动、行为。

译文

良药虽然很苦但能治病，忠言虽然刺耳但却利于改正行为。

> **学知识**
>
> **中国历史上的“六圣”**
>
> 酒圣：杜康，夏朝帝王，传说为酒的发明者。
>
> 史圣：司马迁，西汉著名的史学家，是《史记》的作者。
>
> 医圣：张仲景，东汉医学家，著有《伤寒杂病论》等。
>
> 诗圣：杜甫，唐代伟大的现实主义诗人，著有《杜工部集》。
>
> 画圣：吴道子，唐代著名画家，最擅长人物画。
>
> 书圣：王羲之，东晋著名书法家，人们称赞他的字“飘若浮云”“矫若惊龙”。

故事

田子方的讽刺

战国时期，文侯请田子方与他一起饮酒听音乐。

文侯在堂上专心坐着，听出伴奏的钟声音律不齐，便很得意地对田子方说：“这个钟出了问题，打出来的声音左右不一样。”

于是，周围的人都奉承道：“文侯果然了不起！”

而田子方不仅没有像一般人那样趁机阿谀奉承，夸赞文侯的音乐修养，反而鄙夷地笑出声来。

文侯忙问：“你笑什么呢？”

田方子说：“臣下听说，明君都善于分辨好官还是坏官，不善于分辨乐器的声音。今天发现君上对声音很敏感，臣下唯恐君上对朝中的官员不敏感啊！这样下去，您还有多少心思去想治理国家的事呢？”

文侯听了，不由得羞愧，而刚才奉承文侯的官员，也不免面面相觑，无话可说。

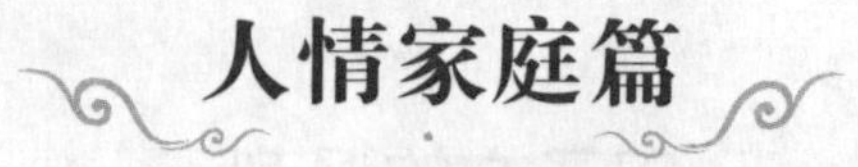

人情家庭篇

táng shàng èr lǎo shì huó fó
堂上二老是活佛，
hé yòng líng shān cháo shì zūn
何用灵山朝世尊。

读 注释

堂上： 家里。　　**二老：** 父母。
朝： 朝拜。　　**世尊：** 菩萨，佛祖。

看 译文

家中的父母就是活着的佛，又何必到灵山去朝拜佛祖、菩萨呢？

yáng yǒu guì rǔ zhī ēn
羊有跪乳之恩，
yā yǒu fǎn bǔ zhī yì
鸦有反哺之义。

读 注释

乳： 吃奶。　　**反哺：** 反过来哺育。

看 译文

羊有跪着吃奶的感恩之心，小乌鸦有反哺老乌鸦的情义。

故事

道纪法师孝母

南北朝时，有一位很有修行的高僧——道纪法师。

他常常在邻城东边讲经，来去之间都扛着一根扁担，扁担上有两个担子，一个担子里坐着他的母亲，一个担子则摆满了佛经佛像。

道纪法师奉养母亲非常尽孝，对母亲的生活体贴入微。母亲生病时，他日夜都守护在母亲身边，喂汤喂药、端屎端尿，衣不解带。这些事情，道纪法师都亲自去做，绝对不让别人帮忙。

有一次，一个人说："法师，您孝敬父母的行为我们都很感动，让我们帮您一下吧！"

道纪法师拒绝说："这是我的母亲，理应由我来奉养！你应该赶快回家，对你的母亲也这样做！自己的母亲一定要亲自奉养，奉养母亲的福德与供养菩萨的功德一样大。"

于是，附近的人都被道纪法师的行为感动，纷纷效法他的孝心孝行。

tiān xià wú bú shì de fù mǔ
天下无不是的父母，
shì shàng zuì nán dé zhě xiōng dì
世上最难得者兄弟。

注释

不是的：有错的，不可原谅的。

译文

天底下没有不可原谅的父母，世界上最难得的是兄弟之情。

fù mǔ ēn shēn zhōng yǒu bié
父母恩深终有别，
fū qī yì zhòng yě fēn lí
夫妻义重也分离；
rén shēng sì niǎo tóng lín sù
人生似鸟同林宿，
dà xiàn lái shí gè zì fēi
大限来时各自飞。

注释

恩：恩情。　终：终究。　义：情义。　宿：住。

译文

与父母的恩情再深，也终究会分别；夫妻之间情义再重，也终究会分离。人生就像鸟儿同住在一个林子里，寿命终了的时候各奔西东。

故事

睒子复活

传说中，古印度有个国家，叫迦夷国。迦夷国有个人叫睒子，他和双目失明的父母一起到深山老林里去修行。生活虽然困苦，但睒子对父母非常孝顺。他平时和林子里的鹿混得很熟，时常扮成鹿，挤鹿奶给父母喝。

有一天，睒子仍像往常一样为父母去挤鹿奶。谁知正好碰上国王来打猎，误将鹿群中的他当作一只鹿给射中了。糟糕的是，这支箭是毒箭。临终前，睒子把自己父母双目失明、生活困苦的情况告诉了国王，请国王开恩，能够照料自己的双亲。

最终，这件事感动了天神，天神赏赐给了睒子仙药，不仅使他死而复活，而且使他双目失明的父母重见光明。后来，这个故事就随着佛教的传播传遍了中国。

qiān jīng wàn diǎn，xiào tì wéi xiān

千经万典，孝弟为先。

注释

孝：对父母孝顺。　弟：同“悌”，指对兄长要敬重。

译文

所有数不清的经典里面，“孝”和“弟”都是首要的。

yǎng zǐ bú jiào rú yǎng lǘ

养子不教如养驴，

yǎng nǚ bú jiào rú yǎng zhū

养女不教如养猪。

注释

教：教育，教导。

译文

养儿子如果不教育，就像养了一头驴；养女儿如果不教育，就像养了一头猪。

小知识

什么是“孝弟”

孝，指对父母要孝顺、服从；弟，同“悌”，指对兄长要敬重。孔子非常重视“孝弟”，把“孝弟”作为实行“仁”的根本，提出“三年无改于父道”“父母在，不远游”等一系列“孝弟”主张。

孟子也把“孝弟”视为基本的道德规范。秦汉时的《孝经》则进一步提出：“孝为百行之首。”

故事

伯俞泣杖

韩伯俞是汉代梁州人，他非常孝顺母亲。母亲也很疼爱这个儿子，希望他能早日成材，所以对他严格要求，只要韩伯俞做错了事，母亲就用手杖揍他。

每当这个时候，韩伯俞都是低着头，躬着身，乖乖地挨打，不申辩，也不哭，直到母亲打完了，气消了。

后来，韩伯俞年纪大了，母亲也老了。有一次，韩伯俞又因为一件事惹得母亲不高兴，她拎起手杖来教训儿子，韩伯俞像过去一样不声不响地让母亲打。但是打了两下，韩伯俞忽然哇哇大哭。

母亲很震惊：“小时候我打你你从来不哭，今天是怎么了？是不是把你打疼了？”

韩伯俞哭着说：“母亲，您以前打我是疼的，那时我知道您身体健康，有力气，所以我心里还很庆幸。可今天您打我，我一点儿都不疼了，我就知道您年纪大了，身体不好了，所以我才哭啊！”

ér bù xián mǔ chǒu
儿不嫌母丑，
gǒu bù xián jiā pín
狗不嫌家贫。

读 注释

嫌：嫌弃。

看 译文

儿子不嫌弃母亲长得丑，狗不嫌弃家里贫穷。

dāng jiā cái zhī yán mǐ guì
当家才知盐米贵，
yǎng zǐ fāng zhī fù mǔ ēn
养子方知父母恩。

读 注释

当家：主持家务。　方：才。

看 译文

主持家务才知道盐米很贵，成家养了孩子才知道父母的恩情很重。

ér sūn zì yǒu ér sūn fú
儿孙自有儿孙福，
mò wèi ér sūn zuò mǎ niú
莫为儿孙作马牛。

注释

自有：自然会有。

译文

孩子们自然会有他们的福分，长辈不必操劳、担忧，为他们当牛作马。

bù qiú jīn yù chóng chóng guì
不求金玉重重贵，
dàn yuàn ér sūn gè gè xián
但愿儿孙个个贤。

注释

重重：很多的样子。

贤：贤良，有出息。

译文

不求金银财宝越多越好，但愿子孙个个都有出息。

mò bǎ zhēn xīn kōng jì jiào
莫把真心空计较，
ér sūn zì yǒu ér sūn fú
儿孙自有儿孙福。

注释

莫：不要。　空：白白。　计较：这里指操心。

译文

不要花费心思白白去操心，儿孙自有儿孙的生活和乐趣。

shuí rén bú ài zǐ sūn xián
谁人不爱子孙贤，
shuí rén bú ài qiān zhōng sù
谁人不爱千钟粟，
nài wǔ xíng bú shì zhè bān tí mù
奈五行不是这般题目。

注释

谁人：哪个人。　千钟粟：指富有，家财万贯。　奈：无奈。
五行：指仁、义、礼、智、信。　题目：内容。

译文

哪个人不喜欢自己的后代有出息，哪个人不希望家财万贯，无奈的是“仁、义、礼、智、信”这五行中并不包括这些内容。

shì qīn bú shì qīn

是亲不是亲，

fēi qīn què shì qīn

非亲却是亲。

注释

亲：亲人。

译文

是亲人不当亲人待，不是亲人却当亲人看。

yuǎn shuǐ nán jiù jìn huǒ

远水难救近火，

yuǎn qīn bù rú jìn lín

远亲不如近邻。

注释

远水：远处的水。 近火：眼前的火灾。

远亲：一指离得远的亲人；二指血缘上较远的亲属。

邻：邻居。

译文

用远水是很难救眼前的火灾的，远方的亲戚不如近处的邻居有用。

成长交友篇

lù yáo zhī mǎ lì
路遥知马力，
rì jiǔ jiàn rén xīn
日久见人心。

注释

遥：遥远。 知：知道，发现。 力：力气。
见：了解，发现。 心：内心。

译文

路途遥远，才知道马的力气有多大；相处久了，才能了解他人的内心。

huà hǔ huà pí nán huà gǔ
画虎画皮难画骨，
zhī rén zhī miàn bù zhī xīn
知人知面不知心。

注释

知：认识，了解。 面：外表。

译文

画虎时画外表容易，但是要画出老虎的气势却很难；了解一个人，知道他的外表却无法知道他的内心。

fán rén bù kě mào xiàng
凡人不可貌相，
hǎi shuǐ bù kě dǒu liáng
海水不可斗量。

注释

相：看、参照。

斗：古代称粮食的用具。

量：称量。

译文

看人不能只看他的外貌，海水不能用斗来称量。

féng rén qiě shuō sān fēn huà
逢人且说三分话，
wèi kě quán pāo yí piàn xīn
未可全抛一片心。

注释

逢：遇见。

未可：不能。

抛：交给。

译文

遇见别人只说三分话，不要一吐为快，把自己的内心全部交给了别人。

měi bù měi xiāng zhōng shuǐ
美不美，乡中水；
qīn bù qīn gù xiāng rén
亲不亲，故乡人。

注释

美：美好。
乡中水：代指家乡的一切事物。
亲：亲切。

译文

对故乡的事物，备感美好；对同乡的人，备感亲切。

jiǔ zhù lìng rén xián
久住令人嫌，
pín lái qīn yě shū
频来亲也疏。

注释

久：长期。
嫌：嫌弃，讨厌。
频：频繁。
疏：疏远。

译文

长期在亲戚、朋友家住，就会招来嫌弃；过于频繁地交往，再亲的人也会慢慢疏远。

xiāng féng hǎo sì chū xiāng shí
相逢好似初相识，
dào lǎo zhōng wú yuàn hèn xīn
到老终无怨恨心。

读 注释

好似：就像。

看 译文

每次相见都像初次相识一样，这样到了老的时候，才不会有互相怨恨的心。

hāo cǎo zhī xià，huò yǒu lán xiāng
蒿草之下，或有兰香；
máo cí zhī wū，huò yǒu hóu wáng
茅茨之屋，或有侯王。

读 注释

或：可能。

茅茨之屋：茅屋贫舍。

看 译文

蒿草下边，可能长着芬芳的兰草；茅屋贫舍，可能住着未来的将才。

hǔ shēng yóu kě jìn
虎生犹可近，
rén shú bù kān qīn
人熟不堪亲。

注释

生：生疏，没见过。　犹：还。　堪：能够。

译文

与没见过的老虎还可以亲近，但与很熟悉的人却不能够太亲。

xiāng jiàn yì dé hǎo
相见易得好，
jiǔ zhù nán wéi rén
久住难为人。
dàn kàn sān wǔ rì
但看三五日，
xiāng jiàn bù rú chū
相见不如初。

注释

好：好的印象。　难为：难处。　但：否则，不信。

译文

一两次相见容易有好的印象，长期住在一起关系就难处了。不信你观察个三五天，就会发现不如初次的印象好了。

rén guò liú míng, yàn guò liú shēng
人过留名，雁过留声。

注释

留：留下。　　声：鸣叫声。

译文

人虽然走了，他的名字却让人难以忘怀，如同大雁飞过，留下其鸣叫的声音。

shòu ēn shēn chù yí xiān tuì
受恩深处宜先退，
dé yì nóng shí biàn kě xiū
得意浓时便可休；
mò dài shì fēi lái rù ěr
莫待是非来入耳，
cóng qián ēn ài fǎn wéi chóu
从前恩爱反为仇。

注释

深处：太多。　　宜：最好。
得意：称心如意。　　休：停止。

译文

得到恩惠太多时就应该退出了，称心如意时便可以停止了。不要等别人传出是非，听多了，再恩爱也会变成仇人。

xiāng féng bù yǐn kōng guī qù
相逢不饮空归去，
dòng kǒu táo huā yě xiào rén
洞口桃花也笑人。

读 注释

空：空自。　　洞口：山洞口。

看 译文

好友相逢如果不喝酒，空自归去的话，连山洞口的桃花都会嘲笑的。

jiǔ féng zhī jǐ yǐn
酒逢知己饮，
shī xiàng huì rén yín
诗向会人吟；
xiāng shí mǎn tiān xià
相识满天下，
zhī xīn néng jǐ rén
知心能几人。

读 注释

知己：懂自己的人。　　会人：懂的人，知音。

看 译文

酒要与懂自己的人一起喝，诗要向懂得的人去吟诵。满天下都是认识的人，可彼此知心的没有几个。

故事

生死之交

汉朝时，有两个生死之交的好友范式和张劭。

两人曾经一起在太学里读书，毕业分手的时候，范式跟张劭说两年后要去河南看他。到了约定时，范式果然到了。

后来，张劭得了重病，临死前感伤地说："我和范式是好朋友，可惜不能再见了！"就在张劭死去的那天，范式梦见张劭对他说："我今天死了，将要下葬了，希望你能来送我。"范式醒来，不禁悲伤起来，便穿起送葬的衣服，飞快地向张劭家赶去。

下葬那一天，人们要把棺材放进墓穴里，而棺材却好像不肯进去，于是，张劭的母亲叫大家稍停一下再下葬。过了一小时，大家突然看到范式飞奔而来。范式流泪敲着棺材说："元伯，可以走了。生死不同路，我们从此永别了！"

范式说完，和众人慢慢把棺材放进了墓穴。参加葬礼的人看到这个情形，都非常感动。

zhī wǒ zhě wèi wǒ xīn yōu

知我者谓我心忧，

bù zhī wǒ zhě wèi wǒ hé qiú

不知我者谓我何求。

读 注释

知：了解。 何：什么。

看 译文

了解我的人，明白我心里的忧愁，不了解我的人，还以为我有所求。

zhī yīn shuō yǔ zhī yīn tīng

知音说与知音听，

bú shì zhī yīn mò yǔ tán

不是知音莫与弹。

读 注释

知音：彼此了解的人。

看 译文

彼此了解的人才能互相交流，不是互相了解的人，没必要与他交流。

品 故事

伍子胥与渔夫

春秋时期，伍子胥受到追杀，只身逃往吴国。

在江面上，他遇到一个渔夫，便向他求救。渔夫将他渡过了岸。

伍子胥为了躲避仇杀，只能藏身在芦苇中，渔夫见他面有饥色，就说去给他拿点吃的来。这时，伍子胥起了疑心，当渔夫拿来饭菜，他怀疑饭菜中有毒。可是，在求生的本能催使下，伍子胥吃下了渔夫送来的饭。为了感谢渔夫，他把身上的宝剑解下来，准备赠送给渔夫。渔夫并没有接受，他说："我什么都不要，我只是因为仰慕你的大名，在危难时帮一把而已！"

伍子胥大惑不解，以为渔夫一定另有所图，临走时，他反复叮嘱对方要保密，不要泄露他的行踪。渔夫答应了。

可是，当伍子胥走了几步后，回头一看，渔夫竟然自己把船弄翻，沉入了江中。

在那一刻，伍子胥懊悔万分，悔不该当初不相信渔夫，而对他百般提防。

yǒu chá yǒu jiǔ duō xiōng dì
有茶有酒多兄弟，
jí nàn hé céng jiàn yì rén
急难何曾见一人。

注释

急难：着急危难。　何曾：哪里。

译文

有茶有酒的时候，仿佛兄弟朋友很多，而一旦遭受危难，却一个人都找不到了。

liǎng rén yì bān xīn
两人一般心，
wú qián kān mǎi jīn
无钱堪买金；
yì rén yì bān xīn
一人一般心，
yǒu qián nán mǎi zhēn
有钱难买针。

注释

一般心：一样的心，一条心。　堪：能够。

译文

两个人一条心，即便没有钱也能把事办好；每个人各有各的心思，就算是有钱也很难成事。

故事

兄弟折箭

宋朝时，吐谷浑的国王阿柴得了重病，他担心自己死后，儿子们会为了争权而自相残杀，就把他们召集到一起。

阿柴说："你们都从箭袋里拿出一支箭来给我。"儿子们各自抽出一支箭交给父亲。阿柴拿起一支箭给大儿子，说："你能折断这支箭吗？"大儿子很容易就折断了箭。

阿柴又拿起两支箭给大儿子，说："你能折断吗？"大儿子没费很大力就折断了箭。

于是，阿柴又让每个儿子再拿出一支箭，把它们捆在一起，对大儿子说："你能折断吗？"但这次，大儿子无论如何都折不断那些箭了。

阿柴便对儿子们说："折断一支箭容易，想一起折断许多支箭就很难。你们明白吗？"儿子们都心领神会。阿柴去世后，他的儿子们团结一心，吐谷浑渐渐强大起来。

为人处世篇

jūn zǐ lè dé zuò jūn zǐ

君子乐得做君子，

xiǎo rén wǎng zì zuò xiǎo rén

小人枉自做小人。

注释

乐得：以……为乐。　　枉自：白白。

译文

君子以做君子为乐，小人白白做了小人。

máng máng sì hǎi rén wú shù

茫茫四海人无数，

nǎ gè nán ér shì zhàng fū

哪个男儿是丈夫。

注释

四海：天下。　　丈夫：有作为的人。

译文

天底下许许多多的人中，有几个是有作为的人呢。

故事

晏子使楚

春秋时期，晏子奉齐王的命令出使楚国。

楚王见晏婴长得矮小，就命人在大门的旁边开了一个小门，让晏婴从小门进入。晏婴看了看小门，说：“出使狗国的人，才从狗门进入，我出使的是楚国，应该从哪个门进呢？”礼宾司官员只好陪同他改从大门进入。

晏婴见了楚王，楚王讽刺地说：“齐国没有人了吗？”晏婴回答说：“齐国人太多了，张开衣袖可以组成帷帐，一人挥一把汗就像下一场雨，怎么能说没有人呢？”楚王说：“既然如此，为什么派你来当使者呢？”晏婴又回答说：“齐国出使国外的人，贤者出使贤明的国家，不肖者出使不贤明的国家。我是最不肖的，所以被派来出使楚国。”

晏婴的机智，令楚国国君不得不刮目相看。

rén wú yuǎn lǜ, bì yǒu jìn yōu
人无远虑，必有近忧。

注释

远：长远。　　虑：打算。
近：眼前。　　忧：忧虑、麻烦。

译文

一个人如果没有长远的打算，那一定会有近在眼前的麻烦。

ruò zhēng xiǎo kě, biàn shī dà dào
若争小可，便失大道。

注释

若：如果。　　小可：小利。　　大道：大的道德。

译文

如果为一些小利争夺，就会失去大的道德目标。

知识

什么是“道”

“道”是中国古代哲学的一个重要名词，它是由老子第一个提出来的。“道”的意思是世界的规律或原理。它包含了“天道”“地道”“人道”三个概念。天道指的是天的道理和规律，是光明的；地道指的是地的道理和规律，是谦卑的；人道指的是人的道理和规律，是居中的，又要光明又要谦卑。

huò cóng kǒu chū bìng cóng kǒu rù
祸从口出，病从口入。

读注释

口出：说出的话。

口入：饮食。

看译文

灾祸往往因说话不谨慎而招致，疾病常常因饮食不注意而入侵。

zhī jǐ zhī bǐ jiāng xīn bǐ xīn
知己知彼，将心比心。

读注释

知：了解。

彼：对方。

比：对比，衡量。

看译文

要了解自己也要了解对方，并拿自己的心去衡量别人的心。

学知识

古代朋友间的称谓

贫贱之交：贫贱而地位低下时结交的朋友。

金兰之交：情谊契合、亲如兄弟的朋友。

刎颈之交：同生死、共患难的朋友。

忘年之交：辈分不同、年龄相差较大的朋友。

患难之交：在遇到磨难时结成的朋友。

yì rén chuán xū bǎi rén chuán shí

一人传虚，百人传实。

请注释

虚：假的，假话。　　实：真的。

看译文

一个人说假话，但经过许多人这么一传，便成了真的似的。

jìn zhū zhě chì jìn mò zhě hēi

近朱者赤，近墨者黑。

请注释

朱：朱砂。　　赤：红。

看译文

靠近朱砂就会变红，靠近墨汁就会变黑。

学知识

岁寒三友

“岁寒三友”是古诗文中经常提到的松、竹、梅。

松是耐寒树木，经冬不凋，常被看作是刚正节操的象征。

竹也经冬不凋，且自成美景，它刚直、谦逊，不亢不卑，潇洒处世，常被看作是不同流俗的高雅之士的象征。

梅迎寒而开，美丽绝俗，是坚韧不拔的人格象征。

故事

孟母择邻

孟轲（孟子）是战国时期著名的思想家。相传，他很小的时候父亲就去世了，母亲便承担起了教育孟轲的职责。

孟母为了教育他，曾经三次搬家。

起先，他家住在一座山下，山上有很多坟墓，他便经常学着上坟人的样子，又跪拜又号哭。

孟母怕儿子误入歧途，就把家搬到了人多的集市上。可是，他家的邻居是个屠户，孟轲又学着吆喝卖肉。

孟母十分担心，又把家搬到了学堂附近，孟轲每天听到的是读书声和先生的教导。学堂里琅琅的读书声吸引了孟轲，他渐渐地学着念起书来。

在母亲的努力下，孟轲终于找到一个良好的学习环境。后来，他拜孔子的孙子子思为师，成为了伟大的思想家，继承了儒家的思想，被人们誉为“亚圣”。

gé bì qǐ wú ěr
隔壁岂无耳，
chuāng wài qǐ wú rén
窗外岂无人？

读注释

岂：岂能。　　耳：比喻有人在听。

看译文

隔壁岂能保证没有人在听，窗外岂能保证没有人看到？

rén jiān sī yǔ tiān wén ruò léi
人间私语，天闻若雷；
àn shì kuī xīn shén mù rú diàn
暗室亏心，神目如电。

读注释

私语：私下的话。　　天：上天。
若：就像。　　暗室：指偷偷摸摸的。
亏心：亏心事。

看译文

人与人之间私下的话，在上天听来如雷贯耳；暗地里做的亏心事，在神灵看来一清二楚。

故事

梨虽无主，但我心有主

宋末元初的时候，世道纷乱，到处战火连天，老百姓没法安居乐业。

这一天，著名的学者许衡外出拜访朋友。天气炎热，口渴难忍，他一路到处寻找人家，想要借点水喝。

此时，恰逢路边有棵梨树，成熟了的梨子挂满了树枝，大家都去摘梨止渴，只有许衡在树下看着，不为所动。

有人便问:“你为什么不摘梨止渴呢？”

许衡说道:“不是我自己的梨，怎么能乱摘呢？”

那个人就笑许衡迂腐不堪，说:“世道如此乱，管他谁的梨呢！只要能止渴不就行了？”

许衡摇摇头，感叹地说:“梨虽无主，但我心有主。”

jiàn shì mò shuō wèn shì bù zhī
见事莫说，问事不知。
xián shì xiū guǎn wú shì zǎo guī
闲事休管，无事早归。

注释

说：表态，转传。　休：不要。
归：回家。

译文

见了什么不转传，问什么情况说不知道。闲事不要去管，没事就早早回家。

rù shān bú pà shāng rén hǔ
入山不怕伤人虎，
zhǐ pà rén qíng liǎng miàn dāo
只怕人情两面刀。

注释

人情：人与人之间。　两面刀：当面一套，背后一套。

译文

进山里不怕能伤人的老虎，就怕人与人之间两面三刀。

lái shuō shì fēi zhě
来说是非者，
biàn shì shì fēi rén
便是是非人。

注释

来：跑来，过来。 便：就。

译文

跑来跟你说别人是非的人，就是挑拨是非的小人。

shuí rén bèi hòu wú rén shuō
谁人背后无人说，
nǎ gè rén qián bù shuō rén
哪个人前不说人。

注释

谁人：哪个人。

译文

哪个人背后不被人说，又有哪个人在别人面前不议论别人呢。

故事

驴子和狮子

“狮子大人，愚蠢的驴子总是在背后议论您。”狐狸向狮子献着殷勤说，“让它流点血，正可以显示您的力量。”

“哼！”高贵的狮子回答，“野驴愿意乱叫，就由他去吧！只有窄小的心胸才会在意野驴的叫骂。”

shì fēi zhōng rì yǒu
是非终日有，
bù tīng zì rán wú
不听自然无。

读 注释

终日：每天。　　无：消失。

看 译文

是非每天都会有，只要不去听，自然也就消失了。

shì fēi zhǐ wèi duō kāi kǒu
是非只为多开口，
fán nǎo jiē yīn qiáng chū tóu
烦恼皆因强出头。

读 注释

为：因为。　　强出头：比喻争强好胜。

看 译文

是非都是因为话多引起的，烦恼都是因为争强好胜导致的。

品 故事

三人成虎

战国时代，魏国的太子被送到赵国做人质，跟随着一起去的还有忠臣庞恭。

在临行前，庞恭对魏王说：“现在要是有个人跑来说，街上出现了一只老虎，大王您相不相信？”“当然不相信！”魏王立刻答道。“如果同时有两个人跑来说，您相信吗？”庞恭又问。“还是不相信。”魏王立刻答道。“那么，要是有三个人异口同声地说街上有一只老虎，您还会不相信吗？”庞恭接着问。魏王想了一会儿回答说：“三个人这么说，我会相信的。”

于是，庞恭就劝诫魏王：“街上明明是不会出现老虎的，可是只要有三个人这么说，听者就会相信真的有老虎。我现在去了魏国，如果有人评议我，而且又不只三个，到时还希望大王您能明察。”

可是庞恭走后，由于说他坏话的人很多，魏王便忘记了庞恭的劝诫，相信了他们，不再重用庞恭了。

mò xiào tā rén lǎo
莫笑他人老，
zhōng xū hái dào lǎo
终须还到老。

读 注释

莫：不要。

终须：终究。

看 译文

不要笑话别人年老，自己终究有一天也会老。

rù mén xiū wèn róng kū shì
入门休问荣枯事，
guān kàn róng yán biàn dé zhī
观看容颜便得知。

读 注释

休：不必。

荣枯事：好事和坏事。

容颜：脸色表情。

看 译文

到别人家里不必打听主人遇到了好事还是坏事，看看他们的脸色表情就知道了。

chéng shì mò shuō fù shuǐ nán shōu
成事莫说，覆水难收。

注释

莫：不用。 覆水：泼出的水。

译文

已经发生的事不用再说了，就像泼出去的水一样不能收回。

mò dào jūn xíng zǎo
莫道君行早，
gèng yǒu zǎo xíng rén
更有早行人。

注释

更有：还有。

译文

不要说你出行得早，还有人比你出行得更早。

故事

贤明的妻子

春秋时期，齐国相国晏婴有位车夫。有一次，他回家后，妻子表示坚决要离开他。车夫很吃惊，忙问为什么。妻子说："你看晏婴虽然身为相国，可是他坐在车上，态度谦恭。再看你，只是一个车夫，却摆出一副不可一世的样子，你有什么值得炫耀的呢？"听完妻子的批评，车夫很惭愧，从此变得谦虚了。

chù lái mò yǔ shuō
触来莫与说，
shì guò xīn qīng liáng
事过心清凉。

注释

触：触犯，触怒。　　清凉：平静。

译文

面对别人的触犯先不要去争论，等事情过后，心情自然会平静下来。

dé rěn qiě rěn　dé nài qiě nài
得忍且忍，得耐且耐；
bù rěn bú nài　xiǎo shì chéng dà
不忍不耐，小事成大。

注释

得：能。　　忍：忍受。
且：暂且。　　耐：承受。

译文

能忍受的话暂且忍受，能承受的话暂且承受；遇事不忍受不承受，小事会酿成大事。

故事

让墙巷

清朝康熙年间，安徽桐城县内有一条窄巷子。巷子的两边，一边是大学士张英的府邸，一边是富户吴乡绅的宅子，两家一直以此巷为界。

有一次，吴乡绅家要修整房子，扩大地基，与张英的家人发生了争执，大家都因为对方占了自己三尺而争论不休。

于是，张英家人立即给张英写了一封信，要他干预争回这三尺的面积。张英接到家书后，给家人寄去一首诗：

千里书来只为墙，让他几尺又何妨！

万里长城今犹在，不见当年秦始皇。

家里人接到他的信，心静下来了，气顺过来了，于是，便主动登上对方家门，答应让出地基。对方深受感动，也主动地将自己家的基地向后退了三尺。

直到现在，张英的家乡还保存着宽宽的“让墙巷”。

rěn yí jù xī yí nù
忍一句，息一怒，
ráo yì zhāo tuì yí bù
饶一着，退一步。

注释

息：平息。　　饶：饶恕。　　着：事件。

译文

忍住少说一句，会平息一次愤怒；饶恕人一件事，退一步海阔天空。

rěn dé yì shí zhī qì
忍得一时之气，
miǎn dé bǎi rì zhī yōu
免得百日之忧。
jìn lái xué dé wū guī fǎ
近来学得乌龟法，
dé suō tóu shí qiě suō tóu
得缩头时且缩头。

注释

一时：暂时的。　　免：免除。　　忧：烦恼。　　得：要。

译文

忍受暂时的气愤，就能免除往后的烦恼。要学习乌龟的方法，该把头缩进去的时候就缩进去。

rén shàn bèi rén qī
人善被人欺，
mǎ shàn bèi rén qí
马善被人骑。

注释

善：老实。

译文

人老实了，会被人欺负；马老实了，谁都可以骑。

liú dé wǔ hú míng yuè zài
留得五湖明月在，
bù chóu wú chù xià jīn gōu
不愁无处下金钩。

注释

五湖、明月：比喻老本、本钱。
下金钩：钓鱼，比喻东山再起。

译文

只要五湖和明月还在，就不用发愁没有地方下金钩钓大鱼。

sòng jūn qiān lǐ zhōng xū yì bié
送君千里，终须一别。

注释

君：对对方的尊称。　　别：分别。

译文

送人送得再远，终究也要分别。

qiān lǐ sòng háo máo
千里送毫毛，
lǐ qīng rén yì zhòng
礼轻仁义重。

注释

毫毛：比喻很小的东西。

译文

不远千里送来很小的礼物，东西虽轻但情义深重。

學知识

以文会友

“以文会友”是中国古代文人交往、交友的礼俗。文人相交轻财物而重情谊、才学，故多以诗文相赠答，扬才露己，以表心态。其中，唱酬是“以文会友”通行的方式，即以诗词互相酬答。在宴饮等聚会的时候，更是不可有酒无诗，所以在古代，“以文会友”是一种高雅的礼节。

shǐ kǒu bù rú zì zǒu
使口不如自走，
qiú rén bù rú qiú jǐ
求人不如求己。

注释

使口：动口。

自：自己。

走：指行动，做事。

译文

动口不如自己去做，求别人不如自己亲自去办。

qiú rén xū qiú dà zhàng fū
求人须求大丈夫，
jì rén xū jì jí shí wú
济人须济急时无。

注释

须：要。

大丈夫：光明磊落的人。

济：接济，救济。

无：困乏，没有。

译文

求别人，要去求光明磊落的人；接济别人，要接济有急难需要帮助的人。

bù yīn yú fǔ yǐn
不因渔父引，
zěn dé jiàn bō tāo
怎得见波涛。

读 注释

引：引领，帮助。

看 译文

没有会水的渔翁引领，怎么能经得起波浪翻滚。

wú qiú dào chù rén qíng hǎo
无求到处人情好，
bù yǐn rèn tā jiǔ jià gāo
不饮任他酒价高。

读 注释

求：所求。　　饮：饮酒。

看 译文

没有所求的人，走到哪里人缘都好；不饮酒的人，管他酒价高不高。

míng zhī shān yǒu hǔ
明知山有虎，
mò xiàng hǔ shān xíng
莫向虎山行。

注释

莫：不要。

译文

明明知道山上有老虎，就不要勉强到山上去了。

故事

卖宅避悍

春秋时，有一个人因为隔壁邻居太凶悍，便想把自己的房屋卖掉，以图躲开他。

有人对这个人说：“你的邻居就要恶贯满盈了，必将遭受惩罚，你姑且等待一下吧！”

那个人回答说：“我害怕他把我拿来满他的贯呀！”于是便把房屋卖掉，搬走了。

韩非子听说这件事后，说：“凡是含有危险性的事物，决不可靠近沾边！”

jīn zhāo yǒu jiǔ jīn zhāo zuì
今朝有酒今朝醉，
míng rì chóu lái míng rì yōu
明日愁来明日忧。

读 注释

今朝：今天。

看 译文

今天有酒今天就喝醉，明天的忧愁烦恼明天再说。

yǒu huā fāng zhuó jiǔ
有花方酌酒，
wú yuè bù dēng lóu
无月不登楼；
sān bēi tōng dà dào
三杯通大道，
yí zuì jiě qiān chóu
一醉解千愁。

读 注释

方：才。
酌酒：倒酒，喝酒。
通：通晓，明白。
解：消解，抛开。

看 译文

有鲜花的时候才饮酒，没有明月不去登楼。三杯酒下去便可达理想境界，喝醉以后就抛却了所有的烦恼。

故事

李白醉酒

唐代大诗人李白才华过人，所以就连皇帝唐玄宗也想看看李白到底是个怎样厉害的人物。于是，唐玄宗便下诏书请李白到皇宫相见，还邀请李白留下来和他一起吃饭。

没想到，几杯酒下肚，李白竟然喝醉了，他伸了个懒腰说：“我穿的鞋太紧了，要换一双松一点的便鞋。”唐玄宗便立即叫人给他取双便鞋来换。这时李白向站在一旁的高力士伸出脚：“给我把鞋脱了！”高力士是皇帝身边的红人，没想到李白会让他脱鞋，无奈之下，只好给李白把靴子脱了。

但这件事让高力士耿耿于怀。终于有一天，李白送给杨贵妃的一首诗，被他抓住了把柄，他便挑拨说李白在诗中故意侮辱杨贵妃。杨贵妃信了高力士的话，也对李白恼怒起来。

后来，唐玄宗曾三次想重用李白，但都被杨贵妃给阻止了。李白哪里会想到，酒后的不拘小节竟会引来如此后果。

社会事理篇

fù rén sī lái nián

富人思来年，

qióng rén sī yǎn qián

穷人思眼前。

读 注释

思：考虑。　　来年：指将来。

看 译文

富裕的人常考虑将来，贫穷的人只考虑眼前。

rén qīn cái bù qīn

人亲财不亲，

cái lì yào fēn qīng

财利要分清。

读 注释

人：人情。　　不亲：无关。

看 译文

人情亲但是与财利无关，在钱财、利益前，要分个清楚明白。

mò xìn zhí zhōng zhí
莫信直中直，
xū fáng rén bù rén
须防仁不仁。

注释

直：正直。

不仁：不讲道义。

译文

不要相信表面上的正直，要防备别人心存不良。

nìng kě xìn qí yǒu
宁可信其有，
bù kě xìn qí wú
不可信其无。

注释

有：存在。

无：不存在。

译文

宁可相信（那个事物）存在，也不能相信（那个事物）不存在。

rén qióng zhì duǎn，mǎ shòu máo cháng

人穷志短，马瘦毛长。

注释

志：志气。　　短：缺乏，没有。

译文

人穷了往往没有志气，马瘦了必然显得毛长。

pín qióng zì zài，fù guì duō yōu

贫穷自在，富贵多忧。

注释

自在：自得其乐的状态。　　忧：烦恼。

译文

人虽然贫穷但却自得其乐，人变富贵后反而会多烦恼忧愁。

故事

穷人的快乐

有一对穷夫妇，除了吃饭、睡觉，整天都在快乐地唱歌、跳舞。长此以往，隔壁的财主夫妇感到不能忍受，于是，送给这家穷人一坛银币，条件是从此不在家里唱歌跳舞。穷人见了这么多钱，自然高兴得不得了。

果然他们不再唱歌跳舞，但却整天为钱币无法安全储放而心事重重，吃不香，睡不宁。

为了找回与快乐相伴的幸福生活，他们毅然把那一坛银币送还给财主，从此又恢复了往日的快乐。

pín jū nào shì wú rén wèn
贫居闹市无人问，
fù zài shēn shān yǒu yuǎn qīn
富在深山有远亲。

注释

贫：穷人。　问：询问，答理。　富：富人。

译文

穷人就算住在闹市，也没人愿意去答理；富人就算住在深山里，也会有人去登门拜访。

yǒu qián dào zhēn yǔ
有钱道真语，
wú qián yǔ bù zhēn
无钱语不真。
bú xìn dàn kàn yán zhōng jiǔ
不信但看筵中酒，
bēi bēi xiān quàn yǒu qián rén
杯杯先劝有钱人。

注释

真：相信。　筵：筵席。　劝：敬酒。

译文

有钱人说真话别人相信，贫穷人说真话别人不相信。不信你看看筵席上的酒，几乎每一杯都是敬给有钱人的。

rén wèi cái sǐ niǎo wèi shí wáng
人为财死，鸟为食亡。

读 注释

财：钱财。

看 译文

人一辈子都是为了挣钱，鸟一生都是为了觅食。

shí lái fēng sòng téng wáng gé
时来风送滕王阁，
yùn qù léi hōng jiàn fú bēi
运去雷轰荐福碑。

读 注释

时：时运。　　运：运气。

看 译文

时运好时，有风神相助到滕王阁；运气差时，荐福碑也会被巨雷轰碎。

学知识

“滕王阁”与“荐福碑”的典故

滕王阁：唐朝王勃去南昌时，得到马当地方的风神相助，路途虽远，但一夜就到南昌，在滕王阁的聚会上写出了名篇《滕王阁序》，顿时名震都城，被万人称颂。

荐福碑：宋代时，一个书生十分潦倒，在饶州做官的范仲淹十分同情他。饶州荐福寺中有一通欧阳询书写的碑文，其拓本在当时十分值钱，范仲淹想拓一些送给书生。不料，巨雷却把石碑击碎了。

故事

箕子见微知著

商朝殷纣王即位不久，命工匠为他琢一双象牙筷子。纣王的长兄箕子见了感叹道："象牙筷子肯定不能配土瓦器，而要配犀角的碗、白玉琢的杯。有了这些珍贵的器皿肯定不能吃粗豆做的饭和野菜汤，而要盛山珍海味才相配。吃了山珍海味就不愿再穿普通衣服，也不愿再住茅草陋室，而要穿华丽的衣服，住华贵的楼房。这样下去，我们都将满足不了他的欲望……从象牙筷子开端，我看到了以后发展的结果，真禁不住为他担心。"

果然，纣王的贪欲越来越大，他抓了成千上万的劳工为他修建鹿台和琼室，还到处搜罗名贵珍宝、奇禽怪兽。

这时，不仅宫中人反对他，连全国老百姓也都纷纷造反，要推翻他的统治。最后，纣王死在了鹿台的熊熊烈火之中。

diǎn shí huà wéi jīn
点石化为金，
rén xīn yóu wèi zú
人心犹未足。

注释

犹：尚且，还。 足：满足。

译文

就算把石头都变成了金子，有的人还不满足。

rén qíng sì zhǐ zhāngzhāng báo
人情似纸张张薄，
shì shì rú qí jú jú xīn
世事如棋局局新。

注释

人情：人与人的感情。 世事：世界上的事。

译文

人与人的感情像纸一样脆薄，世界上的事像棋局一样变化无常。

rén qíng sì shuǐ fēn gāo xià
人情似水分高下，
shì shì rú yún rèn juǎn shū
世事如云任卷舒。

读 注释

分：分别。　　任：任由。

卷舒：云变化的样子，比喻变化无常。

看 译文

人情面子像水一样有高下的分别，世间的事像天上的云一样变化无常。

xìng shēng tài píng wú shì rì
幸生太平无事日，
kǒng féng nián lǎo bù duō shí
恐逢年老不多时。

读 注释

幸：有幸。　　恐：唯恐。

看 译文

有幸出生在太平盛世，唯恐年老时就没有这样安宁的日子了。

rén wú hèng cái bú fù
人无横财不富，
mǎ wú yè cǎo bù féi
马无夜草不肥。

注释

横财：意外的非分之财。
夜草：晚上的草料。

译文

人如果没有意外的非分之财，不会富得那么快；马如果夜里不加草料，不会养得肥。

wū lòu piān zāo lián yè yǔ
屋漏偏遭连夜雨，
xíng chuán yòu yù dǎ tóu fēng
行船又遇打头风。

注释

打头风：逆风。

译文

屋顶漏了却偏偏碰到连续下雨，行船的时候却恰恰赶上了顶头风，时运不济。（本来情况就不好，结果祸不单行，各种困难重叠而来。）

sǐ shēng yǒu mìng, fù guì zài tiān

死生有命，富贵在天。

读 注释

命：命运。

看 译文

人的生或死是命里注定的，富或贵是上天安排的。

mìng lǐ yǒu shí zhōng xū yǒu

命里有时终须有，

mìng lǐ wú shí mò qiáng qiú

命里无时莫强求。

读 注释

终须：终究会。

看 译文

命里有的时候终究会有，命里没有的时候不必强求。

学 知识

古代的“算命”

算命是古代民间“命定论”的产物，人们认为人的一生都是被安排好的，所以有很多人都喜欢算命。

研究算命的学术叫术数。它的核心是阴阳、五行以及八卦。

算命的方法有很多，如紫微斗数、面相手相、八卦六爻、奇门遁甲、地理风水等。古代的占卜、筮法，也属于算命。

qù shí zhōng xū qù
去时终须去，
zài sān liú bú zhù
再三留不住。

读 注释

去：失去。
终须：终究会。
再三：多次。

看 译文

该失去的终究会失去，再怎么留也留不住。

lóng yóu qiǎn shuǐ zāo xiā xì
龙游浅水遭虾戏，
hǔ luò píng yáng bèi quǎn qī
虎落平阳被犬欺。

读 注释

戏：戏弄。
落：来到，沦落。
平阳：平原。

看 译文

龙到浅水里游泳，会遭到虾戏弄；虎沦落到平原上，连狗都会去欺负它。

yǎng bīng qiān rì yòng bīng yì shí
养兵千日，用兵一时。

读 注释

养：供养。 一时：关键时刻。

看 译文

长期供养训练军队，目的是在关键时刻用兵打仗。

dàn cún fāng cùn tǔ
但存方寸土，
liú yǔ zǐ sūn gēng
留与子孙耕。

读 注释

但：但愿。 存：留下。 方寸：一点点。

看 译文

但愿留下一点土地，传给后代子孙耕种。

学知识

古代的世袭制度

世袭制度是家族可以一代又一代地拥有官位或财富的制度。在中国，世袭制度从先秦时期就开始了。上至皇位、王爷，下至公卿、大夫，他们的封邑和官职都是父子相承的，直到改朝换代或在政治斗争中失败为止。

lì wēi xiū fù zhòng

力微休负重，

yán qīng mò quàn rén

言轻莫劝人。

注释

力微：力气太小。　　休：不要。

言轻：说话不被重视。

译文

力气太小的人，不要承担太大的重量；说话不被人重视，就不要去劝解别人。

dàn jiāng lěng yǎn kàn páng xiè

但将冷眼看螃蟹，

kàn nǐ héng xíng dào jǐ shí

看你横行到几时。

注释

冷眼：轻蔑的眼神。　　螃蟹：比喻横行霸道的人。

横行：指螃蟹走路横着走，代指霸道。　　几时：什么时候。

译文

把轻蔑的眼光投向横行霸道的人，看你还能张狂到什么时候。

diǎn tǎ qī céng, bù rú àn chù yì dēng

点塔七层，不如暗处一灯。

读 注释

点：点亮，点灯。 塔：佛塔。

看 译文

在佛塔上点亮了七层灯，也不如在暗处为人点一盏灯。

lù féng xiá kè xū chéng jiàn

路逢侠客须呈剑，

bú shì cái rén mò xiàn shī

不是才人莫献诗。

读 注释

逢：遇到。 须：应该。

看 译文

路上遇到侠客应该把剑呈上，不要硬碰；不是才子不要呈献自己的诗，以免出丑。

学 知识

什么是“折腰”

“折腰”即拜揖，鞠躬下拜，表示屈辱之意。

晋代时大诗人陶渊明，曾为彭泽县令，州郡派一个大官来巡视时，别人劝他去迎见，他感叹地说：“我怎么能为了五斗米而折腰呢？”

后来，“折腰”的意思引申为倾倒、崇拜，如毛泽东《沁园春·雪》：“江山如此多娇，引无数英雄竞折腰。”

kě shí yì dī rú gān lù
渴时一滴如甘露，
zuì hòu tiān bēi bù rú wú
醉后添杯不如无。

注释

一滴：一滴水。　甘露：比喻甜美。　添杯：添酒。

译文

人渴的时候送上一滴水，就像送甘露一样；人喝醉了后再添酒，还不如不添。

guó qīng cái zǐ guì
国清才子贵，
jiā fù xiǎo ér jiāo
家富小儿娇。
guó luàn sī liáng jiàng
国乱思良将，
jiā pín sī xián qī
家贫思贤妻。

注释

清：清正廉明。　贵：被重视。　娇：娇气。　思：盼望。

译文

国家太平清廉，有才能的人才被重视；富裕人家的孩子，要比穷人的孩子娇气。国家动乱时，盼望有贤才良将；家庭贫困时，盼望有贤惠善良的妻子。

故事

马革裹尸

马援是汉光武帝刘秀的手下名将。他志向宏远，英勇善战，为东汉王朝立下了不少战功，被光武帝封为“伏波将军”。

公元 44 年秋天，马援从西南方打了胜仗归来，亲戚朋友听到之后早早就出来迎接。这些人中，有一个叫孟冀的人，很有计谋，也很有声望。马援便诚恳地对他说：“我本希望你能多说几句指教我的话，可怎么你也随波逐流来夸奖我。我的功劳小，受的赏赐大，如何能保持长久呢？”

孟冀说：“我哪里够得上指教您？依我看，您的年纪这么大，该在家休养休养！”

马援听了，慷慨激昂地说：“现在匈奴、乌桓还在侵扰我国的北部边疆，我正想自告奋勇地请求去讨伐。男子汉大丈夫为了保卫祖国的边疆，就应当战死在那儿，用马革裹着尸体运回故乡，怎么能待在家里呢？”

孟冀听了十分感动，称赞道：“您真不愧为大丈夫啊！”

人生哲理篇

rén gè yǒu xīn，xīn gè yǒu jiàn。
人各有心，心各有见。

注释

各：各自。　心：心思。
见：见地，想法。

译文

每个人各有各的心思，每个人也各有各的见地。

zhī shì shǎo shí fán nǎo shǎo，
知事少时烦恼少，
shí rén duō chù shì fēi duō。
识人多处是非多。

注释

知：知道。　识：认识。

译文

知道的事越少，烦恼自然也越少；认识的人越多，是非也自然越多。

shā dí yí wàn zì sǔn sān qiān
杀敌一万，自损三千。

讀 注释

损：损失。

看 译文

消灭敌人一万人，自己也会损失三千人，不可能全身而退。

chéng mén shī huǒ yāng jí chí yú
城门失火，殃及池鱼。

讀 注释

失火：着火。 殃及：受到牵连。

看 译文

城门着了火，（用护城河的水救火）池中的鱼也会受牵连。

學 知识

火药

火药是中国的四大发明之一。早在唐朝时，火药便出现在古籍当中，到了唐末，火药开始用于军事。南宋时，人们发明了“突火枪”，金朝还发明了“震天雷”。由于火药的出现，金朝军队用它打退了蒙古军队的进攻。

13 世纪，我国发明的火药传入阿拉伯，后来又由阿拉伯传入了欧洲。19 世纪，火药开辟了人类战争的新局面。

rén shēng zhī zú hé shí zú
人生知足何时足，
rén lǎo tōu xián qiě shì xián
人老偷闲且是闲。

读 注释

足：满足。　　何时：什么时候。　　偷闲：挤时间。

看 译文

人要是知足什么时候才会满足，人老了能挤点时间就尽量清闲一下。

cháng jiāng hòu làng tuī qián làng
长江后浪推前浪，
shì shàng xīn rén gǎn jiù rén
世上新人赶旧人。

读 注释

推：推动。　　赶：赶上。

看 译文

长江的后浪推动着前浪，一浪胜过一浪；世上的新人赶上了旧人，一代替换了一代。

品 故事

青出于蓝而胜于蓝

清朝时的黄慎是“扬州八怪”之一。他从小喜欢画画，并拜同郡一位名画家上官周做老师，恭恭敬敬地跟着他学画。没过多久，他就把老师的全套技巧学到了手。

有一回，外地有几个画师慕名来看画，客人展开一看，齐声说道："这跟上官周先生的作品太像了！"但随即有个画师说："可就算很像又能怎么样呢？别人的东西总是别人的，模仿得再逼真也不是自己的。"

黄慎听了，想：对呀！我的画哪一点算是自己的呢？

此后，黄慎日夜探索这个难题。他废寝忘食，一会儿呆呆地想，一会儿推敲字画，一会儿又在纸上乱涂乱抹。

终于有一天，黄慎画出了自己的风格，他的字弯弯曲曲，像草书又不像草书，像画又不像画，但是把它当字看就是字，当画看就是画，自成一体。

上官周见黄慎自创一体，十分高兴，逢人便夸说："真是青出于蓝而胜于蓝啊！黄慎已超过我了。"

chā zhī háo lí　shī zhī qiān lǐ

差之毫厘，失之千里。

读 注释

毫厘：长度单位，比喻很微小。　失：失误、错误。

看 译文

开始时只差几毫米几厘米，但结果会造成上千里的失误。

dāng jú zhě mí　páng guān zhě qīng

当局者迷，旁观者清。

读 注释

当局者：下棋的人。　迷：迷惘。　清：清楚，明白。

看 译文

下棋的人迷惘，而旁边看棋的人却很清楚、明白。

学知识

中国象棋

早在战国时期，象棋就有了历史记载。当时的象棋，是用象牙做的棋子，所以称为“象戏”，但棋局的摆设与当今的象棋有一定的差别。

到了宋代，现代象棋的基本形式才得以确定。那时的象棋分为“大象戏”和“小象戏”，经过数百年的实践，小象戏后来发展成了现代象棋。

qíng dài yǔ sǎn bǎo dài jī liáng

晴带雨伞，饱带饥粮。

读 注释

晴：晴天。 饥粮：食物。

看 译文

晴天的时候常带雨伞，肚子饱的时候常带食物。

shùn tiān zhě cún nì tiān zhě wáng

顺天者存，逆天者亡。

读 注释

天：天道。 存：生存。 逆：违背。 亡：灭亡。

看 译文

顺从天道的人就生存，违背天道的人则灭亡。

学知识

顺应四季来养生

在中国古代，人们讲究天人合一，顺应四季来养生。

春天养生：春天是生发的季节，人们应早睡早起，养护肝脏。

夏天养长：夏天是生长的季节，人们应晚睡早起，多流汗，多吃热的事物，养护心脏。

秋天养收：秋天是收获的季节，人们应早睡早起，多吃水果，养护肺部。

冬天养藏：冬天是收藏的季节，人们应早睡晚起，多吃豆类食品，养护肾脏。

táng láng bǔ chán, qǐ zhī huáng què zài hòu

螳螂捕蝉，岂知黄雀在后。

读 注释

岂知：怎么知道。

看 译文

螳螂正想要捕捉蝉，怎么知道黄雀在它后面（正要吃它）。

jì zhuì fǔ zèng, fǎn gù wú yì

既坠釜甑，反顾无益。

fān fù zhī shuǐ, shōu zhī shí nán

翻覆之水，收之实难。

读 注释

既：已经。　釜甑：釜和甑，古代用于炊煮的器皿。
反顾：回头看。　益：增加，益处。　实难：很难。

看 译文

釜甑已经掉在地上（打碎了），再回头看也于事无补。已经泼洒出去的水，就很难再收回来。

学知识

古代用的器皿

角：饮酒器，形状像牛角，没有支脚，有的有盖。

鬲：煮饭用的器皿，一般为广口、三只支脚。

尊：盛酒器。形状像觚，中部较粗，口径较小，也有方形的。

盘：用来盛水或接水，大多是圆形，很浅，有底儿。

盂：用来盛水或盛饭，广口，很深，有把手。

故事

碎罐

从前，有一个人提着一个非常精美的罐子赶路。走着走着，一不小心，“啪”的一声，罐子摔在路边一块大石头上，顿时成了碎片。路人见了，唏嘘不已，都为这么精美的罐子成了碎片而惋惜。可那个摔破罐子的人，却像没这么一回事一样，头也不扭一下，看都不看那罐子一眼，照旧赶他的路。

这时，过路的人都很吃惊：为什么此人如此洒脱？多么精美的罐子啊，摔碎了多么可惜！甚至有人还怀疑此人的神经是否正常。

于是，有人问他：“你这个人为什么要这样？罐子都打碎了，你连停下来看一看都没有。”

而这人却说：“已经摔碎了的罐子，我回头去看也没有什么用，那何必再去留恋呢？我应该赶自己的路才是。”

ruò yào duàn jiǔ fǎ
若要断酒法，
xǐng yǎn kàn zuì rén
醒眼看醉人。

读 注释

断酒：戒酒。 法：方法。
醒眼：醒着时候的眼睛。

看 译文

如果想要戒酒的方法，醒着的时候看看喝醉人的丑态（便知道该如何做了）。

yào yī bù sǐ bìng
药医不死病，
fó dù yǒu yuán rén
佛度有缘人。

读 注释

不死病：死不了的病。 度：度化，超度。
缘：缘分。

看 译文

药只能用来医治死不了的病，佛祖只度化那些与他有缘的人。

zuì hòu qián kūn dà
醉后乾坤大，
hú zhōng rì yuè cháng
壶中日月长。

注释

乾坤：指世间万物。　　日月：指时间。

译文

醉了以后才发觉世间万物的伟大，饮酒之时才觉得时间漫长。

jiǔ zhài xún cháng xíng chù yǒu
酒债寻常行处有，
rén shēng qī shí gǔ lái xī
人生七十古来稀。

注释

行处：路边。　　古来：自古以来。

稀：稀少。

译文

喝酒欠债的事在路边常常能见到，但人活到七十岁的情况自古以来就很稀少。

shì shì míng rú jìng
世事明如镜，
qián chéng àn sì qī
前程暗似漆。

读 注释

世事：世界上的事。 明：明亮。 漆：黑漆。

看 译文

世间的事看得像镜子一样明亮，但未来的前程却像黑漆一样暗淡。

rén jiàn bái tóu chēn
人见白头嗔，
wǒ jiàn bái tóu xǐ
我见白头喜。
duō shǎo shào nián wáng
多少少年亡，
bú dào bái tóu sǐ
不到白头死。

读 注释

嗔：嗔怪，嗔斥，生气。

看 译文

别人发现头发白了生气，我见了却十分高兴。多少年轻的人，等不到头发变白就死了。

shuǎng kǒu shí duō piān zuò bìng
爽口食多偏作病，
kuài xīn shì guò kǒng shēng yāng
快心事过恐生殃。

注释

食：吃。 作病：得病。
快心事：高兴的事。 过：过度。
生殃：遭殃。

译文

爽口的食物吃多了可能会生病，高兴的事过了头恐怕会遭殃。

shì jiān hǎo yǔ shū shuō jìn
世间好语书说尽，
tiān xià míng shān sēng zhàn duō
天下名山僧占多。

注释

好语：好话。 尽：完。
僧：僧侣，佛教徒。 多：大多。

译文

世界上的好话都让书说尽了，天下的名山大多都让僧侣占去了。

自然道理篇

yǒu yì zāi huā huā bù kāi

有意栽花花不开，

wú xīn chā liǔ liǔ chéng yīn

无心插柳柳成荫。

注释

开：开花。

荫：遮荫，比喻柳树长大了。

译文

用心栽花，花却总是不开；而随意折下来的柳条插在地里，却长成了能够遮荫的柳树。

dāng shí ruò bù dēng gāo wàng

当时若不登高望，

shuí xìn dōng liú hǎi yáng shēn

谁信东流海洋深。

注释

当时：当初。

谁信：谁会相信。

译文

当初若不是去登高望远，谁会相信河水东流，海洋那么深广。

故事

驴子和马

唐太宗贞观年间，长安城西的一家磨房里，有一匹马和一头驴子。它们是好朋友。

贞观四年，这匹马被玄奘大师选中，出发去印度取经。

十三年后，这匹马驮着佛经回到长安，重到磨房会见朋友驴子。老马谈起这次旅途的经历：浩瀚无垠的沙漠，高耸入云的葱岭，凌山的冰雪，热海的波澜……那些神话般的境界，使驴子听了大为惊异！

驴子惊叹地说："你有多么丰富的见闻呀！那么遥远的道路，我简直连想都不敢想。"

"其实，"老马说，"我们跨过的步子大体是相等的，当我向印度前进的时候，你一步也没有停，只不过是在原地打转。"

驴子听了，心中大为触动：想当初我们都差不多，如今我却差得这么远，都是我不求进取的缘故啊！

qiū zhì mǎn shān duō xiù sè
秋至满山多秀色，
chūn lái wú chù bù huā xiāng
春来无处不花香。

读 注释

至：到来。　　秀：秀丽。

看 译文

秋天到来，漫山遍野都是秀丽的景色；春天来临，无处不散发着花的香味。

shān zhōng yě yǒu qiān nián shù
山中也有千年树，
shì shàng nán féng bǎi suì rén
世上难逢百岁人。

读 注释

难逢：很难碰上。

看 译文

山中存活千年以上的树是有的，但世上却很难碰见百岁以上的老人。

huà shuǐ wú fēng kōng zuò làng
画水无风空作浪，
xiù huā suī hǎo bù wén xiāng
绣花虽好不闻香。

读 注释

画：画中。

空：白白，没有。

看 译文

画中的水因为没有风，浪潮画得再高也是假的；布上绣的花，虽然好看但却闻不到香味。

liú shuǐ xià tān fēi yǒu yì
流水下滩非有意，
bái yún chū xiù běn wú xīn
白云出岫本无心。

读 注释

下滩：淹没滩地。

非：不是。

出：钻出，穿过。

岫：山洞。

看 译文

流水向下流到滩上不是有意的，白云从洞中穿过本来是无心的。

jìn shuǐ zhī yú xìng
近水知鱼性，
jìn shān shí niǎo yīn
近山识鸟音。

注释

近：（居住的地方）离得近。

性：特性。

识：认识，分辨。

鸟音：鸟鸣叫的声音。

译文

住得离水近，就会知道各种鱼的特性；住得离山近，就会分辨出各种鸟鸣叫的声音。

lóng guī wǎn dòng yún yóu shī
龙归晚洞云犹湿，
shè guò chūn shān cǎo mù xiāng
麝过春山草木香。

注释

归：回到。

犹：还是。

麝：俗名香獐子，能产麝香。

过：经过。

译文

龙回到山洞后，云还是湿的；香獐子经过春天的山，草木上都会留有麝香的香味。

jī shí yuán yǒu huǒ
击石原有火，
bù jī nǎi wú yān
不击乃无烟。

注释

击：碰击。
原：才会。
火：火花、火星。
乃：就。

译文

石头互相碰击才会冒出火星，不去碰击就连烟都不会冒。

tíng qián shēng ruì cǎo
庭前生瑞草，
hǎo shì bù rú wú
好事不如无。

注释

庭：庭院，屋前的院子。
生：长出。
瑞：吉祥。

译文

庭前长出了预示吉祥的草，这种好事还不如没有。

shuǐ zhì qīng zé wú yú
水至清则无鱼，
rén zhì chá zé wú tú
人至察则无徒。

注释

至察：精明。　　徒：同类或伙伴，指朋友。

译文

水太清的话就不会有鱼，人太精明的话就不会有朋友。

dào yuàn yíng xiān kè
道院迎仙客，
shū táng yǐn xiàng rú
书堂隐相儒；
tíng zāi qī fèng zhú
庭栽栖凤竹，
chí yǎng huà lóng yú
池养化龙鱼。

注释

道院：道士居住的地方。　　隐：隐居。

译文

道院内经常有仙客出入，书斋之中隐居着宰相之材；庭院里栽着珍贵的栖凤竹，水池里养着稀有的化龙鱼。

故事

朱熹闲居

南宋时，有个著名的大学者朱熹，他为人端庄稳重，在朝廷里讲话很正直。

有一次，朱熹在巡视中看见许多饥民外逃，经调查是州官盘剥百姓太厉害了。他六次写奏章向皇帝报告。可是，前几次奏章都被小人给扣下了。最后一次终于被皇帝看到。于是，皇帝便免去了那个州官的职务，叫朱熹去代替州官。而朱熹却淡泊名利，上奏说："我居住在乡村里，觉得这里风光无限，所以不愿去地方为官。"

朱熹在平日居家的时候，每天天还没亮就起来了，穿好衣裳相连的制服，到家庙里和先圣神位前去跪拜。行了礼以后，退回到书房里，几案必定摆得很正，一切书籍、器用，必定放得整整齐齐的，有时候疲倦了，就闭着眼端端正正地坐着，休息完了起来，就脚步整齐地慢慢走。他的威仪和行为举止的法则，从少年时一直到老始终没有放弃。

由于朱熹道德高尚，满腹学识，所以后人称他为"朱子"。

hé xiá shuǐ jí，rén jí jì shēng。

河狭水急，人急计生。

注释

狭：狭窄。　　急：湍急。　　计：计谋。

译文

河道狭窄了，水流自然很急；人在焦急中，就会生出计谋，想出办法。

dàn yǒu lǜ yáng kān xì mǎ，chù chù yǒu lù tōng cháng ān。

但有绿杨堪系马，处处有路通长安。

注释

但：只要。　　堪：能够。　　系马：拴马。

译文

只要有绿色树木的地方都能够拴马，条条马路都可以通向长安城。

知识

古代都城的名称

南京：金陵、秣陵、建业、建邺、建康、江宁、应天等。

北京：蓟城、燕都、燕京、幽州、大都、京师、北平等。

西安：酆京、镐京、酆镐、长安、京兆、永兴、奉元、西京等。

故事

“一文钱”的故事

清朝末年，民间盛传一个“一文钱”的故事。

张怀和李政是两个安徽籍的商人，他们带着巨资去苏州做生意，结果在路上却挥霍一空，最终只好白天乞讨，晚上睡在古庙里。

一天晚上，他们面对火堆烤火，相对叹息。张怀摸出仅有的一文钱要扔掉，说：“沦落到这个地步。要这一文钱也没什么用！”李政急忙抓住他的手说：“我有办法。”

不一会儿，李政怀抱竹叶、草茎、鸡鸭毛等东西回来。他鼓动张怀和他一起把用一文钱买来的面粉，用水调成浆糊，把草缠在竹片上，蒙上纸，再遍粘鸡鸭毛，一共做了两三百个栩栩如生的禽鸟纸玩具，拿到集市上去卖。

因为玩具做得惟妙惟肖，于是，人们争相购买，竟收入了五千多文钱。从此，他们晚上制作，白天出售，生意一天天兴隆起来，“一文钱”的故事便从此名扬苏州。

shēn shān bì jìng cáng měng hǔ
深山毕竟藏猛虎，
dà hǎi zhōng xū nà xì liú
大海终须纳细流。

读 注释

毕竟：必定。　藏：潜藏。
终须：终究需要。

看 译文

深山之中必定潜藏着猛虎，大海终究需要吸纳细小的河流。

mǔ dān huā hǎo kōng rù mù
牡丹花好空入目，
zǎo huā suī xiǎo jiē shí chéng
枣花虽小结实成。

读 注释

空：只不过。　入目：观赏。
结实：结果实。

看 译文

牡丹花再好，也只不过是供人观赏而已；枣花虽看着不起眼，却能结出实实在在的果实。

故事

群蚁观鳌

一群红蚂蚁听说海边有一只大鳌，便商量一起去观看。它们在海边等了一个多月仍不见大鳌浮出，有些不耐烦了，准备返回。

这时忽然狂风吹过大海，海浪汹涌，大地也有些颤抖。红蚂蚁们说："这回大鳌该出来了。"

又过了几天，风平浪静，大鳌果然从海中隐隐升起，它头顶着一座山岳，高入云天，渐渐向南游动。群蚁们看到这个场景，七嘴八舌地议论开了。

有的说："大鳌头顶高山和我们头顶沙粒有什么不同？其实没什么好看的，它只不过长得大了些而已！"

有的说："我们在洞口的土堆上逍遥自在地游玩，天黑了就回到洞穴里睡觉，我们和大鳌都是各得其所，何必跑这么远，劳累身体来观看它呢？"

于是，这群红蚂蚁就结伴回家了。

yì zhǎng yì tuì shān xī shuǐ
易涨易退山溪水，
yì fǎn yì fù xiǎo rén xīn
易反易覆小人心。

注释

易：随时（改变）。

译文

山溪里的水随着季节时涨时退，不明事理的小人内心反复无常。

rén shēng yí shì cǎo shēng yì chūn
人生一世，草生一春；
lái rú fēng yǔ qù sì wēi chén
来如风雨，去似微尘。

注释

一世：一辈子。
一春：一个春季。
风雨：比喻动静很大。
微尘：比喻很小，没有声息。

译文

人活在世上一辈子，就像草生长了一个春季。来的时候像风雨一样动静很大，去的时候却像微尘一样无声无息。

jìn shuǐ lóu tái xiān dé yuè
近水楼台先得月，
xiàng yáng huā mù zǎo féng chūn
向阳花木早逢春。

读 注释

得：观赏到。　　向阳：朝南边。

看 译文

离水近的楼台能先看到投射在水中的月影，朝南边的花木会提前吐芽、开花，进入春天。

gǔ rén bú jiàn jīn shí yuè
古人不见今时月，
jīn yuè céng jīng zhào gǔ rén
今月曾经照古人。

读 注释

古人：过去的人。　　今时：此时。

看 译文

过去的人不会见到此时的月亮，而此时的月亮却曾照耀过过去的人。

学知识

古人对月亮的称谓

太阴：与太阳相对；白玉盘：因其形状如盘，颜色像玉；飞轮：比喻月亮像轮子在天空中运动；玉兔：有神话传说说，月中有白兔捣药，故以此命名。此外，还有金魄、玉钩、玉弓等称呼。

shān zhōng yǒu zhí shù
山中有直树，
shì shàng wú zhí rén
世上无直人。

读 注释

直人：正直的人。

看 译文

山中有直着长的树，而世间却没有正直的人。

tiān shàng zhòng xīng jiē gǒng běi
天上众星皆拱北，
shì jiān wú shuǐ bù cháo dōng
世间无水不朝东。

读 注释

皆：都。 拱：环绕。

看 译文

天上的星星都环绕着北斗星，世上所有的河流都会向东流入大海。

学 知识

北斗七星

北斗七星指的是在天空排列成斗形（或勺形）的七颗星。它们分别是：天枢、天璇、天玑、天权、玉衡、开阳、摇光。因排列如斗勺，所以称为“北斗”。根据北斗星便能找到北极星，故又称“指极星”。

故事

韩信点兵

韩信是我国古代杰出的军事家，他作为统帅带领汉军打垮了具备强大军事实力的西楚霸王项羽，为刘邦统一天下、建立汉朝立下了大功，因而被封为楚王。

刘邦建立汉朝后，由于听信韩信要谋反的传言，加上对他早已有所顾忌，故而设下圈套，将韩信抓了起来。不久，刘邦又赦免了韩信，但是撤掉了他的王位，只给了一个淮阴侯的封号。

韩信知道刘邦忌才妒能，心中闷闷不乐，于是经常托病不去朝见刘邦。可刘邦反而经常找韩信谈话，议论各位将军才能的大小。

一次，刘邦问韩信：“像我这样的人，能带多少兵？”韩信说：“您最多只能带十万人。”刘邦又问：“那么你呢？”韩信答话：“我带兵多多益善。”刘邦笑了，说：“你带兵多多益善，怎么又会被我抓到呢？”韩信说：“陛下虽然不能带更多的兵，但您却善于统率和指挥将领，所以我就被您抓到了。”

zì hèn zhī wú yè
自恨枝无叶，
mò yuàn tài yáng piān
莫怨太阳偏。

注释

恨：懊恼，责怪。　　怨：抱怨。

译文

自己责怪自己的树枝没长叶子，不要去抱怨太阳照得偏。

zhú lí máo shè fēng guāng hǎo
竹篱茅舍风光好，
dào yuàn sēng táng zhōng bù rú
道院僧堂终不如。

注释

风光：景色。　　终：恐怕。

译文

农家田园的景色非常美，恐怕连寺院、道场也比不上。

学知识

古代的书院

书院是唐宋时期出现的一种教育机构，是私人或官府所设的讲授、研究学问的场所。

宋代著名的四大书院是：江西庐山的白鹿洞书院、湖南善化的岳麓书院、湖南衡阳的石鼓书院和河南商丘的应天府书院。

yuè dào shí wǔ guāng míng shǎo
月到十五光明少，
rén dào zhōng nián wàn shì xiū
人到中年万事休。

注释

十五：阴历十五。
少：开始减少。
休：罢休。

译文

月亮到了十五以后，光明会一天天减少；人到了中年以后，机体衰落，很多事常常做不了就罢休了。

rén qíng mò dào chūn guāng hǎo
人情莫道春光好，
zhǐ pà qiū lái yǒu lěng shí
只怕秋来有冷时。

注释

莫：不要。
道：说。
春光：春天的景色。
只怕：恐怕。

译文

人与人之间的情谊，不要说像春天的景色那样美好，恐怕等秋天来的时候就变得冷淡无比。

tiān yǒu bú cè fēng yún
天有不测风云，
rén yǒu dàn xī huò fú
人有旦夕祸福。

讀 注释

不测：料想不到。　　旦夕：早与晚。

看 译文

天空中有料想不到的风和云，人间有早与晚、祸与福的不测。

tiān shí bù rú dì lì
天时不如地利，
dì lì bù rú rén hé
地利不如人和。

讀 注释

天时：时机。　　地：地理位置。
和：团结，和气。

看 译文

时机好不如地理位置好，地理位置好不如人团结。

huáng hé shàng yǒu chéng qīng rì
黄河尚有澄清日，
qǐ kě rén wú dé yùn shí
岂可人无得运时。

注释

尚：尚且。

岂：怎能。

译文

黄河水尚且有水清的时候，人怎么可能没有运气好的时候。

rén wú qiān rì hǎo
人无千日好，
huā wú bǎi rì hóng
花无百日红。
zǎo shí bú jì suàn
早时不计算，
guò hòu yì chǎng kōng
过后一场空。

注释

计算：打算。

译文

人没有一直都运气好的时候，花儿也不会总是红着的。如果不及早做打算，那过后就会竹篮打水一场空。

miáo cóng dì fā shù xiàng zhī fēn

苗从地发，树向枝分。

注释

发：发芽，长出。 向：往。

分：分叉。

译文

树苗要从地里发芽长出，大树要往树枝上分叉。

lóng shēng lóng zǐ hǔ shēng hǔ ér

龙生龙子，虎生虎儿。

注释

子、儿：后代的意思。

译文

龙生的后代有龙的气势，虎生的后代有虎的威风。

学知识

十二生肖

生肖，又称属相，每十二年一个轮回。古代的术数家拿十二种动物来配十二地支，子为鼠，丑为牛，寅为虎，卯为兔，辰为龙，巳为蛇，午为马，未为羊，申为猴，酉为鸡，戌为狗，亥为猪。于是，某人生在某年就被称为肖某物，如子年生的肖鼠、亥年生的肖猪等，每年都有一肖作为一年的属相。

故事

曹冲称象

曹冲是曹操的儿子，他继承了父亲的才能，年少时就很聪明，五六岁的时候就会像成人一样思考，甚至更超出了成人。

当时，孙权曾送给曹操一头大象。大象体态雄健，力大惊人，于是便引起了曹操的好奇之心。他想知道大象到底有多重，但当时没有合适的量具，于是便问群臣是否有什么称量的办法，群臣目瞪口呆，都没有什么妙计。

这时，曹冲在一旁说："把大象牵到船上，看船入水有多深，作下记号。然后把大象牵走，放一些石头到船上，使船入水到原来的记号处，这样再一块块称石头的重量，就可以知道大象的重量了。"

曹操听后非常高兴，便依曹冲之计而行，知道了大象的重量，对曹冲大加夸赞。

zhòng xīng lǎng lǎng, bù rú gū yuè dú míng
众星朗朗，不如孤月独明。

注释

朗朗：明亮的样子。

译文

再多的星星照亮天空，也不如单独一个月亮明亮。

gēn shēn bú pà fēng yáo dòng
根深不怕风摇动，
shù zhèng hé chóu yuè yǐng xié
树正何愁月影斜。

注释

何愁：怎么会怕。

译文

树根长得深不怕风的摇动，树长得正怎么会怕月亮把影子照斜呢？

学知识

古时星辰的名称

古人研究星辰，主要为了祭祀之用，他们把天上的星辰分成了五星、二十八宿。五星是东方岁星、南方荧惑、西方太白、北方辰星和中央镇星。二十八宿是东方苍龙七宿：角、亢、氐、房、心、尾、箕；北方玄武七宿：斗、牛、女、虚、危、室、壁；西方白虎七宿：奎、娄、胃、昴、毕、觜、参；南方朱雀七宿：井、鬼、柳、星、张、翼、轸。

dùn niǎo xiān fēi, dà qì wǎn chéng

钝鸟先飞，大器晚成。

注释

钝鸟：迟钝的鸟，指笨鸟。 大器：比喻大才。

译文

笨鸟先飞，即使笨，由于勤奋，时间久了也能成材。

zhī lán shēng yú shēn lín

芝兰生于深林，

bù yǐ wú rén ér bù fāng

不以无人而不芳；

jūn zǐ xiū qí dào dé

君子修其道德，

bú wèi qióng kùn ér gǎi jié

不为穷困而改节。

注释

芝兰：蕙芷的简称。 芳：芬芳。

修：修习，培养。 节：节操，气节。

译文

蕙芷生长在幽深的树林之中，但它不因为没人观赏就不散发芬芳。君子修习、培养自身的道德，他不因为处境穷困就改变自己的节操。

结语

fèng quàn jūn zǐ，gè yí shǒu jǐ。
奉劝君子，各宜守己。
zhī cǐ chéng shì，wàn wú yì shī。
只此呈示，万无一失。

注释

君子：对读者的敬称。　　宜：最好。

译文

奉劝各位读者，每个人都最好安分守己。只要理解了上述言论，就会做到万无一失。

学知识

历史上的“六君子”

礼者六君子：禹、汤、文、武、成王、周公。

苏门六君子：黄庭坚、秦观、张耒、晁补之、陈师道、李廌。

直谏六君子：周端朝、张衎、徐范、蒋傅、林仲麟、杨宏中。

戊戌六君子：谭嗣同、林旭、杨锐、刘光第、杨深秀、康广仁。

中华传统文化推荐读物

书声琅琅 国学诵读本

增广贤文

主编 郎建

编写 刘承沅

插图 张代华

审校 夏应鹏

中国少年儿童新闻出版总社
中国少年儿童出版社

北京

图书在版编目（CIP）数据

增广贤文 / 刘承沅编. -- 北京 : 中国少年儿童出版社，2014.1（2015.8重印）
（书声琅琅国学诵读系列 / 郎建主编）
ISBN 978-7-5148-1360-9

Ⅰ. ①增… Ⅱ. ①刘… Ⅲ. ①古汉语－启蒙读物 Ⅳ. ①H194.1

中国版本图书馆CIP数据核字(2013)第275773号

ZENG GUANG XIAN WEN

出版发行：中国少年儿童新闻出版总社
中国少年儿童出版社

出 版 人：李学谦
执行出版人：赵恒峰

主　　编：郎　建　　总 策 划：郎　建
责任编辑：贺泽红　　选题策划：周　晖
美术编辑：谭　欣　　责任印务：刘　颖

社　　址：北京市朝阳区建国门外大街丙12号楼　　邮政编码：100022
总 编 室：010-57526071　57350133　　传　　真：010-57526075
发 行 部：010-57350009
网　　址：www.ccppg.com.cn
电子邮箱：zbs@ccppg.com.cn

印刷：北京天宇万达印刷有限公司

开本：920mm×650mm　1/16　　印张：10
2014年1月第1版　　2015年8月北京第5次印刷
字数：100千字　　印数：10000册

ISBN 978-7-5148-1360-9　　定价：13.80元